「人前で話す」怖さを消す方法

話し方が変わる 45のプチレッスン

坂野 典子
フリーアナウンサー／ボイス・スタイリスト®

Clover
クローバー出版

はじめに

この本は、上手に話すことを目的として書いた本ではありません。「ふだんの話し方を変えてみよう」という提案と、そのやり方をわかりやすく解説した本です。

話し方を変えることで、「人前で話す」ことが怖くなくなったり、あなたの人間関係、もっと言うとあなたの未来が豊かになっていくということを、私の体験――アナウンサーとして5000人以上にインタビューした経験を通じてお伝えしていきます。

私は、幼い頃からアナウンサーになりたいという夢を持っていました。

ですが、当時のあだ名は「ブー」。

体格も良く、男の子から給食の早食いを挑まれるような女の子でした。

ですから、アナウンサーになりたいとは、口が裂けても言うことはできませんでした。なぜならテレビで見るアナウンサーの方は容姿端麗で華やか。私とはほど遠い存在だったからです。

そんな私が、今では夢を叶え、さらに20年以上現場に立ってきた経験をもとにお話をさせていただきたいと思います。

私はキャスターやレポーター、MCなどあらゆる声の現場に立たせていただいています。仕事では、様々な方にインタビューをさせていただく機会がたくさんあります。テレビやラジオ、イベント司会などを含めると、これまで5000人以上の方にお会いして、お話を聞くことができました。

その経験を踏まえて、確信したことが3つあります。

1つ目は、「人前で話すのが苦手な人がとても多い」ということ。

2つ目は、「話すことが苦手という本当のところは、失敗したらどうしようという恐怖からくるものがほとんどだ」ということ。

3つ目は「話し方が変われば、伝わり方が変わる」ということです。

幼い頃、録音した自分の声に幻滅したことをよく覚えています。それからしばらくは、授業の音読ですらイヤで仕方ありませんでした。

そんな私が、話すこと、伝えることに興味を持ったのは小学生の時、「オペレッタ」のナレーションを担当することになったのがきっかけです。

自信がないことに加えて恐怖心もあり、練習では失敗することも多々ありました。ですが、たとえ失敗しても友達が笑顔で合図をくれたり、「上手だったよ」と先生が褒めてくれたりしました。その経験から、「人前で話す」ことへの恐怖はほとんどなくなり、「伝える」ということに徐々に興味を持ち始めました。

今思えば、私は「認められた」ことがすごく嬉しかったのだと思います。誰でも人から認められることで勇気や元気、やる気が湧いてきます。きっと私はあの時、先生や友達から認められたことで、「人前で話す」恐怖や不安を克服したのだと思います。

さらにあるテレビ番組で、アナウンサーの「今日も気をつけて行ってらっしゃい」というとても元気のいい明るい声を聞いて、私もあんな風に元気で明るい挨拶ができる人になりたい！　と憧れを抱いた瞬間を今でも鮮明に覚えています。

とはいえ、アナウンサーのイメージが華やかすぎて、その夢を人に語ることはできずにいました。家族や友人に、夢についての話を初めてできたのは、大学2回生の時です。

それでもまだ、アナウンサーになりたいとは言えず、周囲には声の仕事がしたいとだけ伝え、とにかくたくさんのアルバイトをかけ持ちしてお金を貯め、アナウンススクールに通うことを決めました。

恐怖や不安、引け目を感じながらもアナウンススクールへ入会。この一歩が私の「伝える」ことのスタートでした。

今振り返ってみれば、アナウンススクール入会時から、きちんと夢を語ることができたら、応援してくれる人がもっとたくさんいたかもしれない。もう少し早く、道が開けていたかもしれない……と悔やむこともあります。

だからこそ、この本を手にしてくださった皆さんに、私の現場での体験や学びをもとに、伝え方のポイントや簡単な工夫、そして、思いを口に出して伝えていくことの大切さや、上手に話さなくても失敗しても大丈夫だということをお伝えしたいと思います。

話し方を変えれば伝わり方が変わるということ。そして、なりたい自分になれるのだということをお伝えし、少しでもこれからの毎日のお役に立てていただけたらと思います。

ぜひ、興味のあるところから読んでみてください。

これから、ますます人と人との「信頼」が大切な時代になっていくと思います。コミュニケーション力はもちろんのこと、話し方のスキルを学ぶことで、より楽しく豊かな毎日を過ごせる方が増えることを願っています。

最後まで読んでいただけましたら幸いです。

contents

2 コミュニケーションをもう少し深掘りする

contents

3 コミュニケーションに関するいろいろなお話

4 話すのが楽しくなる実践方法

第1章

話し方が変われば
あなたの
未来が変わる

01

スキルよりも人間関係に彩りを添える話し方を心がける

私は、幼い頃からアナウンサーになることを夢見ていました。大学生の時にはアナウンススクールにも通い、局アナ受験もしました。ですが、結果は惨敗。しかしその後も夢を諦めきれず、紆余曲折ありましたが現在はフリーアナウンサーとしてお仕事をさせていただいています。

事務所に所属していた時期もありましたが、現在は完全にフリーです。**フリーという立場は、自分で仕事を得ていくしかない**のです。特にMCなどは一度でも失敗したり何か問題を起こすと、会場への出入りも禁止されるほどの厳しい世界。そして女の世界です。

媚《こ》びると嫌われる。態度が大きいと嫌われる。謙虚すぎるとバカにされる。

知らず知らずのうちに常にコミュニケーションのとり方や言葉の紡ぎ方に、気を使ってきたなと思います。

20年以上そんな現場で鍛えられたおかげか、メンタル面もかつてに比べると随分と強くなり、前向きな思考が身についたように思います。

さらに**話し方が変われば、伝わり方も変わり、その結果、未来まで変わるということを身をもって体験し、これからますます「コミュニケーション」がキーワードになる時代がやってくる**ことを確信しています。

それら実体験を通して、私が現場で培ってきた経験やスキルを形にして伝えていきたいと考えるようになりました。

コミュニケーションで悩む人が多い現代社会。そのような方のお手伝いができたらと「ボイススタイリスト®」として活動していくことを決めました。

ボイススタイリスト®とは、コミュニケーションを通して、より楽しく豊かな毎日をスタイリングするお手伝いをする存在であると位置づけています。

今後、ライフオーガナイザーなどのように新しい仕事として認知されていくことを願っています。

挨拶や返事と同じように、もっと軽やかに、誰もが楽しく会話できるようなコミュニケーション。スキルだけではなく、心の部分も含めて毎日の生活を少しでも彩ることができるようにと願いを込めて、話を進めていきたいと思います。

02

幸せを呼び寄せるのは〝ふつう〟の挨拶と返事

私は子どもたちに「幸せは挨拶と返事からやってくるよ」と伝えています。

「おはよう」「こんにちは」「さようなら」「ありがとう」「ごめんなさい」……とても短いフレーズですが、残念ながらうまく言えない子どもが増えています。

これは子どもに限ったことではありません。大人でもそうです。

声に出すことが恥ずかしいのであれば、笑顔で会釈をするだけでも周りに与える印象が変わり、その結果、見える景色も変わってくるのにな、と残念で仕方ありません。

幼い頃、幼稚園や保育園で教えてもらった、気持ちの良い挨拶をすること。挨拶が上手にできただけで周りを笑顔にできたこと、褒められたことを今一度思い出してほしいなと心から思います。

子どもたちを、英会話や体操、ピアノや塾……それら習い事に通わせるまえに、**挨拶をすること、そして、返事をすることの大切さを教えてあげてほしい**のです。

身近な例で言えば、「この問題わかったかな？」と大人が聞きます。そこで「うん」「わかった」「はい」とひと言返事をしてくれると、大人も「わかったんだな」と捉えますが、無反応だとどうしていいのかわからないのです。時には、苛立ちさえ覚えることもあるでしょう。返事ができないことは、子どもたちにとって損になってしまうのです。

また、返事や挨拶ができない子どもに対し、「うちの子、人見知りなので」と庇《かば》う親御さんもいます。

もちろん諸事情によりできないケースもありますが、お友達とはお話ができるのに、大人に対して返事や挨拶ができないのはなぜでしょうか？ **庇うのでなくて、そこでしっかり注意し、その大切さを教えてあげてほしい**なと思うのです。

どれほど勉強ができても、運動ができても、挨拶や返事ができない子どもは周りから可愛げがないと判断されがちです。

実際に、私もそうです。挨拶をしても知らんぷりする子どもと、いつもニコニコ挨拶してくれる子どもでは、やはり後者のほうが可愛いと感じてしまうのです。

大人から可愛がってもらえる子どもは圧倒的に後者のほうが多いのです。恥ずかしい気持ちがあるのはよくわかりますが、挨拶や返事をしないだけで、損することがたくさんあるのです。

だからこそ、子どもを大切に思うのであれば、まずは挨拶と返事をしっかりすることの大切さをきちんと教えてあげてほしいのです。

気持ちの良い毎日は、挨拶と返事から。幸せはそこからやってくるのです。世界一簡単な幸せになる方法かもしれませんね。

03

口に出さないと何も始まらない

挨拶や返事の大切さをお伝えしましたが、当たり前すぎて、その大切さを忘れている方が本当に多いように思います。

大人になるにつれて、照れや好き嫌いなどで挨拶の重要性を軽視しがちです。特にネット社会の昨今、ＳＮＳの中では好きなことを書き込めるのに、言葉を声に出せない人のなんと多いことか……。これを言ったら嫌われるかな？と、まず人の目が気になってしまいます。みんな、自分自身を等身大の自分よりも良く見せたいと思うものです。

これは、誰でも一度は思うことかもしれません。でも、やはり**言いたいことがあるのなら口に出してみることが大切**です。思いを口に出すこと、その第一歩が挨拶であると言えるのではないでしょうか？

結果はひとまず置いておき、素直な自分でいること以上に自分を大切にすることはないと、ある人に言われたことがあります。そのある人とは、夢を叶え、周りにいつもたくさんの人が集まる素敵な女性です。**心の声に素直になり、しっかりと声に出して人に伝えることができるようになると、見える景色が変わります**。私も日々実感しています。

思いは口に出さないと、誰にも伝わらないのです。

夢を叶える時も同じです。

一つ例を挙げましょう。

私はアナウンサーになりたいのに周囲に言い出せませんでした。そのため、アナウンススクールなどの情報は自分で集める以外に方法はありませんでした。田舎にアナウンススクールやタレント事務所なんてないと思い込んでいたのです。

しかし大学生になって、自分の将来について真剣に考えると同時に、たくさんの自己啓発本を読みました。すると徐々に、自分の考えや思い込みが変わっていきました。

そして、さらりとアナウンサーになりたいと周囲に話すことができました。するとびっくりするほど周りがいろいろな情報をくれたのです。それからすぐに、アナウンススクールへの入学が決まりました。

今にして思えば、当然なのです。私がアナウンサーになりたいと思っていることなんて誰も知らないのですから、当然、情報を持っていたとしても話題にのぼることとさえないわけです。

思いを言葉にするだけで、何かが動き出すのです。そしてその結果、願いが叶うかもしれない未来が待っているのです。

「夢を叶えるには、まず行動すること」とよく聞きますが、**思いを口に出すことこそが、その行動の大事な第一歩**なのです。

人は、自分が思っている以上に温かい存在です。誰かの思いが耳に入れば、そのために力になりたいと心が動かされ、その結果、縁をつないでくれることもあるのです。

人からつながるご縁。

まずはあなたの心の中にある思いを、あなた自身の言葉で紡いでみましょう。

04 感情を味わい、処理することで人は成長していく

ここで、改めてコミュニケーションについてお話しします。

「コミュニケーション」。最近では特に重要なワードになってきたかと思います。Zoomなど、遠隔でも顔を見ながら会話ができるので、とっても便利になったなと思います。

移動に使っていた時間を短縮できるので、私もありがたい限りです。反面、遠隔でのコミュニケーションの不安を相談されるケースが増えてきました。

「コミュニケーション」を辞書で調べれば、人と人との間で行われる知覚、感情、思考の伝達などといった簡素な定義が載っています。

ただし、これでは不十分だと思います。一般にコミュニケーションというの

は、情報伝達だけができれば十分に成立したと見なされ、人間と人間の間で「意思の疎通」が行われたり、「心や気持ちの通い合い」が行われたり、「互いに理解し合う」ことができて、初めてコミュニケーションが成立するといった説明をしているものもあります。

コミュニケーションに含まれるものは、実は広範囲に及ぶのではないかと考えられているのです。

なんだか難しくなってきましたが、メールや電話、手紙もコミュニケーションです。

非言語ですが、お中元、お歳暮などの贈答もコミュニケーションと考えると、コミュニケーション不足で悩む必要は、もしかしたらなくなってくるのかもしれません。

ですが、私が本書でお伝えしたいのは、会話でのコミュニケーション。

そして、もう一つ、自分自身とのコミュニケーションです。

コミュニケーションというワードだけが広がってしまい、その本質を深く考えることがありません。

誰かと話をすることで、学んだり楽しくなったり、あるいは悩んだりと、いろいろな感情を味わうでしょう。これが人間の醍醐味《だいごみ》なのです。

そして、他人とのコミュニケーションで生まれたいろいろな感情を、どう処理していくのか。それが、自分とのコミュニケーションです。特に、悲しい時、辛い時、イライラする時など、**マイナスの感情との向き合い方を知ることで、次の一歩へとつながります。これが自分とのコミュニケーションの大切な部分です。**

コミュニケーションにはいろいろなパターンがあります。この機会にぜひ、改めて考えていきましょう。

05

「ありがとう」の魔法

どんな人でも、褒められたり、「ありがとう」と言われたりすると、とても嬉しくなりますよね。

コミュニケーションにも3Kと呼ばれる大切な言葉があります。その解釈は人によって様々ですが、私は、「感謝」「感激」「感動」の3つだと考えています。

特に日本人は謙遜すること、遠慮をすることが美徳だと考えて行動するので、人から何かしてもらったら、つい「すみません」と言ってしまいがちです。

褒められても「いえいえ、そんなことありません」と謙遜してしまいますよね。

これを、どうせなら、より幸せをつかむ言葉「ありがとう」に変えていきませんか？

褒められたら「ありがとうございます。嬉しいです」。これでいいのです。プラスの言葉なのです。

「ありがとう」は魔法の言葉であると、私は信じています。

プラスの言葉は、人を前向きに、元気にしてくれる言葉。

身近な人ほど照れて使えない、言えない……とよく聞きますが、まずは**「すみません」から「ありがとう」に変換し、心から素直に言える練習をしていきましょう。**

言ったほうも言われたほうも、幸せになれる魔法の言葉が「ありがとう」です。

挨拶や返事と一緒で、短い言葉ですが、より幸せになれるとても簡単な方法です。

私は、嫌なことがあったりイライラした時に、とにかく「ありがとう」と呟いていた記憶があります。今では、気持ちの切り替えがすぐにできるようになったので、呟きはなくなりましたが、寝る前には心の中で必ずたくさんのありがとうを言います。

以前テレビで拝見したのですが、ある会社の社長さんは、誰よりも早く出勤し、会社の建物、商品、空間すべてに「ありがとう」とおっしゃっていました。その時は異様な感じがしましたが、今ならわかります。**「ありがとう」という言葉にはとてつもないパワーがある**ということを。

その効果がわからないという方は、試しに1日30回「ありがとうチャレンジ」をしてみてください。

心の状態がどんどん変化していくのが実感でき、見える景色も変わってくるでしょう。そして、マイナスのこともプラスへと気持ちを切り替えることができるようになるでしょう。

言葉が発するエネルギーは、私たちの想像をはるかに超えています。

だからこそ、良い言葉を紡ぎ、どんどん豊かになっていきましょう。

06 自分とのコミュニケーションで自信をつける

相手に好印象を与えるかどうかは、返事や挨拶、話し方、ボディーランゲージでほぼ決まると思われます。

例えば、会社でプレゼンをする際、内容はしっかり詰めていったとしても、話し方やボディーランゲージでマイナスイメージを与えてしまえば、伝えたかった内容をしっかり伝えられないということです。

これは、面接の場合にも言えますよね。しっかり準備をしてきて、熱意だってあるのに、きちんと伝えることができずに不合格になってしまう、という残念な結果。

つまり、話し方で損をしているのです。

下を向いてボソボソ話す。声が小さい。相手の目を見て話すことができない。

これでは、相手に与える印象は良くないですよね。

いろいろな悩みがあるかと思いますが、それら**一つひとつ、原因がどこにあるのか掘り下げていき、問題を解決していくことで、改善することができるの**です。

ここでも自分とのコミュニケーションがとても役に立ってくれるのです。


どうして私は練習したのに、本番に弱いのかな？

いつも以上に良くみせようとしているのかな？

そうだ。良く見せようとするから、力が入りすぎてしまうのかも。

じゃあ、どうしたらいいの？

いつも通りでいいんじゃない？

そうだ。いつも通りで駄目ならそれでいいんだ。私に自信を持てばいいんだ。

いつも通りの私を見てもらおう。

こんな風に、心の中で自分とコミュニケーションをとってあげてみてください。

誰でも、人から良く思われたい。だけど変な力が入れば、伝わり方も変わってしまいます。

話し方、伝え方が変われば、伝わり方が変わる！ 相手への印象も、ガラリと変わります。これは本当です。決しておおげさではありません。

迷った時には、自分とのコミュニケーションを密に。

忘れないでください。

07

臨機応変がコミュニケーションのカギを握る！

コミュニケーション能力の3つの基本とは、

人間関係力…良い人間関係をつくっていく力
説得力………人を説得する力
交渉力………相手を傷つけずに自分を主張する力

だと言われています。

コミュニケーションに自信のある人が、決してこの3つの基本能力が優れているというわけではありません。

大きく3つに分類されていますが、いろいろなシーンによって得意・不得意が変わります。家庭と職場で変わる方もいるでしょうし、職場の同僚によって変わるという方もいるので、本当に人それぞれです。

必ずしも、完璧でなければいけないわけではありません。

ここで言いたいのは、人間ですから、誰かを傷つけたり、傷つけられたりすることもあるでしょう。ですが、その後の**コミュニケーションの方法を知っているかいないかで、その後が大きく変わる**ということです。

人生が大きく左右されると言っても過言ではありません。

誰かにお詫びをする。感謝する。その伝え方で相手に与える印象が180度変わることもあります。クレームを言うお客様が、対応次第でファンに変わるという話はよく聞きますが、これは本当にあることなのです。

コミュニケーションは相手があってこそです。**ブレない自分軸をしっかり持った上で人とのコミュニケーションをとれば、よりスムーズにことが進むでしょう。**

そして、もう一つ、「**臨機応変力**」というのがこれからもっと必要になってくると私は考えています。

ある程度のことは予想ができて、対応もできるかもしれない。ですが、突拍子もないことが突然起こるのが人生です。コミュニケーションに正確なマニュアルはありません。それは人の心が必ずついてくるからです。ある程度のマニュアルはあっても、その先は**その都度、自分自身で考えて対応する。それが臨機応変力です。**

この力があれば、どんな困難に直面しても乗り越えていけそうです。

では、臨機応変力はどうやったら身につけられるのでしょうか？

それは、前項でも触れた、自分自身と向き合うことからスタートします。自分とのコミュニケーションです。

本来、自分はどうしたいのか？　どう思うのか？

これを、自分自身と向き合う時に、常に問いかけるのです。

臨機応変力をつけるには、自分自身とコミュニケーションをとる、仲良くなることが一番の近道です。

自分で自分を知っていることで、突拍子もないことが起きても、私はこう対応するだろうということが無意識にわかってくるのです。

まず**自分との対話があり、そして他者とのたくさんのコミュニケーションに**

よってこの臨機応変力は必ずついてきます。

初めての経験を怖がらず、いろいろな経験を積んでいくことをオススメします。

初めての世界。初めてすることってドキドキしますよね。特に人間関係には不安がつきものです。やったことがないからやらないのではなく、**やったことがないからやってみること。ワクワクした好奇心で行動すれば、世界が広がり、視野も広がります。**

その結果、自分自身のキャパシティーも大きくなっていきます。

正直、挑戦することは怖いし、不安はあります。ですが、どんな結果であろうと人生の糧《かて》になることは間違いありません。

毎日、軽やかに挑戦を続けて過ごすことで、身につくコミュニケーション力、そして臨機応変力。

この力を信じて、あなたの殻をほんの少しずつ破って、見える景色を変化させていきませんか？

08

３３３の法則

私の仕事、声の現場に行く際は、ほぼ一人です。イベントや結婚式、お客様は初対面の方ばかり。知らない人ばかりの中にポツンとスタッフとして入り込む。決してゲストとしてではありません。

仕事において、当然印象良く思われたい。ですが、媚びは売りたくない。もちろん、嘘もつきたくありません。声の職人として気持ち良く仕事がしたい。ただそれだけです。そのためには、スタッフの方々との関係を円滑にすることが大切です。

コミュニケーションの勉強をするようになり「３３３の法則」というのを知りました。いつの間にか、私はこの法則を体感で習得していましたが、ここでご紹介します。

333の法則とは、

●見た目の3秒

人は見た目の3秒が大切で、瞬間的に評価判断されます。第一印象ですので、服装や態度、表情が注目されます。コミュニケーションをとる上でとっても重要です。

●挨拶の30秒

ちょっとした挨拶。二言、三言会話が交わされます。これもまだ第一印象の域。ここでは声のトーンやスピードなどから人間性を見られます。

●会話の3分間

たくさん会話をするので、ほとんど「印象」の評価がくだされます。

それぞれに共通する数字「3」がキーワードになっています。

第一印象はコミュニケーションをとっていく上でかなり重要な要素です。声のトーンや大きさ、見た目や笑顔ですね。私もまだまだ修業中の身ですが、昔に比べてコミュニケーションをうまくとることができるようになり、仕事がしやすくなりました。会話の3分間が苦でなくなったからかもしれません。

「333の法則」も、知識として知っているかいないかで、何かが変わってくるかもしれません。そういえば「3」がキーワードの法則があったな、とほんの少しでも気に留めていただけたら幸いです。

「333の法則」。まずは見た目の3秒からやってみましょう。

相手に好印象を与えることができるように、表情や挨拶の練習をしてみましょう。

初対面の方とも、会話の3分間が楽しくできるようになれば、あなたはもうコミュニケーション上級者です。

09

「合わない人」には、嫌われないようにするだけでよい

人から好かれたい。誰でもそう思いますよね。私も、人から好かれたいし、認められたいと思っています。

「認められたい」。以前は口に出すことすらできない自分でしたが、今では遠慮なく言っています（笑）。

さて、ここでは、好かれることでつながるご縁についてお話しします。

好意や好感、相手に抱く印象があります。

お互い様ですが、好感を持った相手とは話が弾み、反対になんだかイヤな感じといった印象を受けたら、話が進まないケースも少なくありません。

では、どうやったら、相手に好印象を与えることができるのでしょうか？

それは、相手を知ろうとする気持ちや態度であり、話し方によるのです。

相手に悪い印象しかなかったら、相手の提案が良いものであっても、良いものとして捉えることができなかったりします。嫌いな相手の話は聞きたくない！　なんてことにもなり得ます。

だからこそ、相手への印象を良くしておくことでスムーズにいくケースも多いのです。

では、言いたことを言わず、ニコニコといい人のふりをするの？

それは違います。

まず、初対面の相手には、

❶笑顔でいること

もうこの人は嫌いだ、と確定している相手であれば、話す際に

▶はこちらが大人になって

❷言葉や言い回しに気をつけること

そして、まだ歩み寄れる余地がある相手であれば

❸相手の良いところを探してみること

さて、これで本当に寄り添うことができるのでしょうか？　歩み寄ることができるのでしょうか？

これは、正直、気持ちの持ちようとしか言えない部分です。

仕事の場合は、歩み寄らざるを得ないこともあります。プライベートであれば、自分自身の幅を広げたい、ご縁を広げたい。これくらいの気持ちがなければ難しいかもしれませんね。そこは自分がどうしたいかに関わってきます。

そして、人間ですから、合う・合わないは絶対にあります。

絶対に合わない人には、近づく必要なし。それくらい割りきってしまえば気持ちがとても楽になります。

ただし、わざわざ相手に嫌われるような態度をとる必要はありません。もしかしたら、気の合う人かもしれませんし、自分で可能性を狭めることだけはしてほしくないな、と思うのです。もったいない!!

こんな経験ありませんか？　第一印象が悪くて苦手だったけれど、腹を割って話をしてみたら、いいヤツだったなんて。今では一番の親友だ、とか。

私も、売られた喧嘩はついつい買ってしまいますが、あえて自分からは売りません。

わざわざ不利になる必要はないということです。

好かれることでつながるご縁があるということを、ぜひ知っていただきたいのです。

ご縁や運は人からやってくるのですから……。

10

外見だけで人を決めつけると危険

ここからは、333の法則の「見た目の3秒」とは、相反する話と感じられるかもしれません。が、とても重要なので、ぜひ知っておいていただきたいと思います。

初対面で意気投合することもあれば、なんだかイヤな感じ、と直感的に思うこともあります。人間だから仕方ありません。だからといって、わざわざこちらから態度を悪くする必要もなし、とお伝えしました。

先ほどから会話をしてみての印象をメインにお話ししてきましたが、人はボディーランゲージ（身振り手振り、視線、顔つき、服装など）で人を判断しがちです。そう、外見で勝手に判断してしまいがちなのです。

誤って判断しがちなのが、見た目でもあるのです。

例えば、強面《こわもて》の人が前から歩いてきたら、大抵の人は〝怖い〟と判断し関わらないようにしてしまいますよね。

そんな相手とぶつかってしまったら？　相手が悪くても必要以上にこちらから謝って、ことなきを得ようとしませんか？

きっと人間の持っている防衛本能なのでしょうね。

ですが、先にこちらから謝ったら、ものすごく腰の低い人で逆に丁寧に謝ってくることもあります。あれ？　怖くなかった。見た目と違うわ、と思うこともあるでしょう。もちろん逆のケースもあります。おとなしそうだからきつい口調で接したら、とんだ目に遭ったと。

外見で判断するのは、本当に危険なことでもあるのです。

必要以上に外見で人を怖がったりするのではなく、「こんな人もいるのだな」とニュートラルに捉えることです。

実際は、これがかなり難しいのですけれどね。

もし、相手に嫌悪感を持ったら、まずはその気持ちを素直に認めましょう。

私、あの人苦手だわ……。

それでいいのです。

人に好かれたい、良く思われたいという、いい人でいたい自分がいるのでなかなかできない場合が多いのですが、苦手な人だっていいます。こんな人もいる。あんな人もいる。ただそれだけなのです。

良し悪しをそこで決める必要なんてないのです。まして、外見で人を判断したら人生もったいないのです。

人との関わり方、ついつい第一印象で判断してしまいがちですが、外見ではない部分を見てほしいと思います。

まずはニュートラルに！

それが、自分を守る術《すべ》でもあり、運を良くするコツでもありますよ。

第2章

コミュニケーションをもう少し深掘りする

11

人と話すのが怖い――その原因は他人ではなく自分

コミュニケーションには、1対1での会話から、1対大勢など様々なパターンがあります。人との会話が苦手でも、1対1なら大丈夫という方も少なくありません。

この問題を掘り下げてみると、次のようなことがわかります。1対1なら必ず会話が成立しますよね。自分の話を聞いてもらえる確率は100％に近いのです。ですが、1対複数、相手の数が増えるにつれて、自分の話をちゃんと聞いてもらえる確率は低くなっていきます。聞いてもらえなかったらどうしようという不安や恐怖から、無意識に苦手意識を持つ方が、実はほとんどなのです。

もちろんこの理由だけではありませんが、**相手の反応≒聞く姿勢はとても重**

要な要素になっています。

ですから、大勢の前で話すことに恐怖を感じる人が多いのです。

私の話し方、これで大丈夫かな？　みんな聞いてくれているのかな？　反応はどうかな？

心配ばかりが先走ってしまいます。

不安ながらも大勢の前で初めて話をした際に、反応がすごく良かった方は、この時に**「成功体験」をしているので、次回は不安よりも楽しさが勝り、どんどん上達していきます。**

私のスクールに通われている方の中にも、そういった方がとても多いです。不安ながらも一度講師業をした際に、想像以上に楽しかった。だから、もっと上手になって講師業を続けていきたいです!!　となる方もいます。

年齢問わずチャレンジする姿を見ると、私も精一杯応援したくなります。

また、人と話すことへの恐怖の理由を勘違いされている方も少なくありません。

学生時代に声で笑われた経験があり、話すことが怖いという人もいます。

その本質は、人からまた何か言われたらイヤだという、自分自身へのガードなのです。

傷つきたくない、嫌われたくない、悪目立ちしたくないという自分へのガード意識が働いているのです。人から認められたい、良く思われたい。でもそれができないのなら、傷つかない方法をとろう。そういうことですね。

後ほど詳しく話をしますが、過去の経験は人生のネタ!!

ネタに変換して、自分を守るクセを手放すと、コミュニケーションの苦手意識は意外にあっさり克服することができるのです。

12

自分で自分にインタビューしてみる

自分自身と対話をしたことはありますか？

本当はどうしたいの？　本当はどう思うの？

私は、様々な方にインタビューをさせていただく機会が多く、いつの間にか自分自身にもインタビューをするクセがついてしまいました。

私の場合YES・NOで答えてもらう質問よりも、文章で答えていただく質問が得意です。子どもの「なんで？　なんで？」と似ているかもしれません。

あなたは自分自身のインタビュアーなのです。

何を望んでいるの？　何をするとワクワクするの？　それはなぜ？

どんどん掘り下げてインタビューすることで本当の自分が見えてきます。心の中でインタビューするのももちろんOKですが、ノートに書くと、より客観的に自分自身を見つめることができるのでオススメです。

イヤなことがあった時、なんだかモヤモヤする時、嬉しい時もどんどんインタビューしてあげてくださいね。

モヤモヤする時にやってみると、モヤモヤ期間が短くてすみますし、次に何をしたらいいのかなど、将来へのステップアップにとても役に立ちます。

自分の気持ちからついつい逃げてしまうクセのある人が、日本人にはとても多いのです。それは、遠慮は美徳と長年考えられてきたからでしょう。幼い頃から、知らないうちにその考えがすり込まれてきたのです。

第1章でもお伝えしましたが、**どう思われるかよりも、自分の気持ちを素直に伝えることほど、自分を大切にしていることはないのです。**

これからも続いていく私たちの毎日。

もっともっと自分とコミュニケーションをとって、楽しく豊かに過ごしてみませんか？

私の人生。自分の気持ちを誰かに遠慮するなんてもったいない。

ですが、わがまま放題に生きろ！　というわけではありません。**あなたの選択の大切なシーンでは、ぜひ素直になってくださいね**、ということです。

自分に素直にと言うと、「掃除したくないからしない！　会社行きたくないから今日はサボろう！　でいいのですか？」と聞かれます。

違います!!

あくまで常識の範囲で考えてくださいね。そして、自分で責任のとれる判断をしてください。

もちろん、ルールは守りましょう。ごくたまにいらっしゃいますが、ルールなんて破るためにあると思ったあなた。

守りたくないのはどうして？　反抗したいの？　もっと人の気を引きたいの？

ぜひ自分自身にインタビューしてみてくださいね。

13 自分のカラダともきちんと対話をする

「セルフコミュニケーション」という言葉を聞いたことがある方もいるのではないでしょうか？　これは、前項でも取り上げた、いわゆる自分自身との対話です。

自身の気持ちを掘り下げて聞いていくことで、本当の気持ちがわかるとお伝えしました。

この項でお伝えしたいのは、カラダの部分についてです。

特に日本人は、少しカラダが辛くても無理をしてがんばってしまいます。

仕事も家事も子育ても、全部自分でやらなければいけない。私がやらなければいけないという責任感と思い込みで、がんばりすぎてしまうのです。

がんばることが決して悪いわけではなくて、カラダの声、悲鳴をきちんと聞いてあげてほしいのです。

聞こえないふりはやめてほしいのです。

少し疲れたなと感じたら休む。腰が痛いと感じたら休む。病院や整体に行くなど、カラダもメンテナンスをしてあげてほしいのです。

カラダが悲鳴をあげている状態では、良い仕事もできません。優しい気持ちでいることも難しいかもしれません。ふだんなら笑ってすませることができるのに、体調が優れていないとイラッとして横柄な態度をとってしまうこともあります。そして、相手との関係がマイナス方向へと進んでいく可能性もゼロではありません。カラダが整っていないとマイナスの悪循環が起こってしまう公算が大きいのです。

ですから、**心はもちろんですが、自分自身のカラダともコミュニケーションをとってもらいたいのです。**

実際、私はカラダが辛くなったら、信頼できる整体の先生にメンテナンスをしてもらっています。

その一時間は本当にリラックスでき、カラダも整うので、終わった後は、「さあ、贅沢な時間を過ごしたから、また仕事がんばるぞ」となります。もちろん、このメンテナンスにはお金がかかります。ですが、整った状態でいるとお金も循環してきます。少し前までの私には、やはり1時間4000円という金額はとても贅沢でした。ですが**考え方をプラスに変えただけで、その金額以上の仕事や臨時収入、そしてお金だけでなく、素敵なご縁が舞い込むようになりました。**

お金がなくなるともったいないという意識で施術をしてもらうのではなく、これでもっとクオリティーの高いものをお客様に提供できると思えば、違った形でプラスのことが舞い込んできてくれます。

セルフコミュニケーション……心もカラダも自分自身の素直な声を聞いて、より充実した毎日を過ごしましょう！

14

言葉の紡ぎ方次第でどんな自分にもなれる！

言葉って、とても大切です。人を元気にすることもあれば、傷つけることもある。

何気なく言われた言葉が、実は心にグサッと刺さって、中々その棘《とげ》が抜けないことがよくあります。

私も、子育て奮闘中に言われた言葉が、いまだに心に引っかかっています。どういった理由で言われたのかは忘れてしまいましたが、その言葉は「社会に出ていないヤツには何もわからない」。よくある話です。

当時は仕事をしていませんでしたし、自分の中でも仕事をしていない状態に、なんだかおいてけぼりを感じていた時期でした。

子どもは可愛い。でも、自分の都合で予定がうまくこなせないという葛藤。例えば、12時に友達とランチの約束をしている。ですが、家を出る直前に子どもが服を汚したり、ケガをしたり。自分の予定はいつだって後回し。楽しい予定さえキャンセルせざるを得ないこともしばしばありました。

周りは仕事をして稼いでいる。無収入という虚しさをすごく感じている時期でした。

だからこそ、そのタイミングで言われた言葉が悲しくて悔しくて、涙が止まりませんでした。

その状態を見て、言った本人も弁解していましたが、思ってもいないことが口から発せられるわけがないだろうと……余計に腹が立ったのを10年以上経った今でも覚えています。

執念深いのかもしれませんね（笑）。

皆さんには、それほど**言葉というものは「凶器」になる**ということを知ってほしいのです。

相手を傷つける言葉を口にした時、言った本人は「まずかったな、悪いな」と思うからそのことを忘れようとする。

ですが、**言われたほうは、その言葉から受けた傷が深ければ深いほど、忘れられないものになるということを、言葉を扱う者として忘れてはいけない**と、私はいつもスクールの生徒さんにお伝えしています。

反対に相手を褒める、勇気づける言葉は、言った本人はすぐに忘れてしまいますが、言われたほうは嬉しくて、その言葉に背中を押されることもあって、ずっとずっと覚えているものなのです。

言葉にはこういった魔法があるのです。とても不思議ですよね。

ふだん何気なく使う言葉。

言葉の紡ぎ方次第で、どんな自分にもなれるということです。

その結果、あなたの応援団が増えていくのか、逆にそうではない状況になるのか。

応援してくれる人が増えれば、チャンスもどんどんふくらむ未来が待っているのです。

15

話し方で損する人

あなたの周りに、話し方で損している人はいませんか？

例えば、喧嘩腰で話す人、ひねくれた物言いや、話し方にクセがある人……

このような人は、周りから人がどんどん離れていってしまいます。結果、チャンスも失っています。とにかくもったいないですよね。

例を挙げてみると、

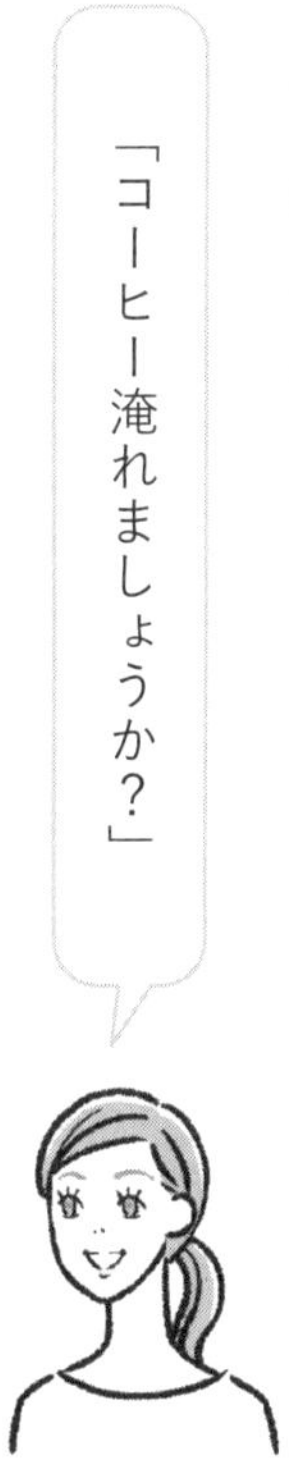

短い会話ですが、この返答にイラッとしないあなたは心が広い！

「いただきます」「ありがとう」「コーヒーお願いします」。ただこれだけを伝えればいいのに、なぜかわざわざひねくれた言い方をして、周りに不穏な空気を漂わせてしまっています。

ちなみにこの方、数回はコーヒーを飲めましたが、その後どうなったかは……皆さんのご想像通りです。

そして、もう一例。

手柄は自分のおかげ、失敗は誰かのせいにして話をするパターン。よくありますよね。

都合が悪くなると、「歳だから」「できない」「やったことない」「無理」「わかるわけない」「聞いてない」……。

チャンスや人が近寄ってくるか、離れていくか。それは、本当に些細なことなのです。

言葉の紡ぎ方次第で変わることがあるので、あなたの周りの大切な人にも、ぜひ教えてあげてください。

「その言い方、損するよ！」

たったひと言を丁寧に発するだけで、変わっていく人間関係と未来。

あなたはどちらを選びますか？

16 相手を変えようとしてはいけない

私の知り合いに、ご主人の話し方でいつも我慢をしている奥様がいらっしゃいます。

ストレスが溜まっていることでしょう。

イライラをぶつけられることが、ほぼ毎日だとおっしゃっていました。

その方から、ご主人の話し方に傷つくし、イライラもするからなんとかならないだろうか、と相談されたことがあります。

「ご主人を変えようとするのは諦めてください」と私はお答えしました。

それは、100%と言っていいほど不可能に近いことなのです。

ですので、まずは「奥様が話し方を変えて接してみてください」とアドバイスさせていただきました。

ふだんの何気ない会話の中で、きちんと目を見て返事をしていますか？

ご主人の愚痴を、他人に話していませんか？

「ありがとう」をたくさん伝えていますか？

相談された奥様だけでなく、これには意外と皆さん、ハッとしています。

話をしっかり聞く姿勢を見せるだけでも、相手の対応は変わってくるのです。

これは、子どもにも大人にもみんなに共通しています。

また、愚痴を誰かに話すのはストレス発散にもなるし、私はＮＧだとは思いません。ですが、散々愚痴っても、必ず最後にプラスの言葉で締めくくってほしいのです。

例えば、「イライラしたら私に当たり散らすし、本当にむかつく！　でも、お休みの時は家事も手伝ってくれる優しさもあるんだけどね」など。

ストレスを溜め込まずに口に出して、すっきりすることも大切ですよね。

特に女子はおしゃべりが大好き。ですが、友人との会話で家族を褒めるのはどこかＮＧなところもありますし、自慢話と捉えられたら後々の関係性に響くこともあります。そのあたりは、注意と心配りが大切です。

そして、きちんと「ありがとう」って伝えていますか？

「ありがとう」って言いたいけど、言えるようなことしてもらってないから……と思った方も多いはず。


そこでひと言。ご主人が仕事から帰られたら、

「おかえり。毎日ありがとう」


これだけでいいのです。

熟年夫婦ほど、照れもあって口にするのが恥ずかしいかもしれません。

そんな時は、

「リモコンとってくれる？　ありがとう」

こんな感じでもいいのです。

優しいかも？　と感じてもらえたら大成功。ご主人の話し方も自然と穏やかになっていくのです。

「鏡の法則」や「たらいの水の法則」などと言われるものと同じようなことかもしれません。不思議ですよね。

最近ではポピュラーになってきていますが、態度だけでなく話し方にも通じるものです。夫婦や友人、上司・部下との関係、あらゆるシーンで使える言葉の魔法。**相手を変えようとせず、まずは自分の話し方や接し方を変えてみてください。**

あなたが変われば、必ず相手も反応してくれますよ。

あなたの話し方、人を幸せにしていますか？

17 言ったら損するフレーズ

何かをお願いした時に、努力しようとせず、「いや」「無理」「やったことない」「できない」と即答する人、周りにいませんか？　その返答、あなたなら応援したくなりますか？

「イヤだけど、挑戦してみようかな」
「無理そうだけど、がんばってみる」
「やったことないから、やってみたい」
「できないかもしれないけど、チャレンジしてみる」

私は後者を応援したくなります。こういうことなんです！

「無理」のひと言で片づけてしまうと、本当はそれなりの理由があっても、伝えていないから伝わらないのです。

「無理」とひと言伝えてしまうだけでは、やる気がないと捉えられ、マイナスイメージになってしまいます。

「今日は予定があるから、無理なんだ」
「今は無理だけど、来週ならやってみるよ」
「私には無理だけど、心当たり聞いてみるね」

など、ひと言添えるだけで、伝わり方は変わってきます。
そんなの当たり前だと思う方もいらっしゃると思います。ですが、そのひと言を添えられない人が多いように思います。
これはあくまで私の想像ですが、スマホの影響があるかもしれません。
LINEでは、スタンプやたったひと言で返信することが多いですよね。

それを対面でもそのままやってしまっているのかな、と思うのです。

相手への配慮に欠けると、自分自身に「損」が返ってきます。「損」という捉え方が正しいのかはわかりませんが、ここはわかりやすく「損」で統一させてください。

ですので、「損」するフレーズを次項で説明するプラスαの言葉を使って、心地よいものに変換していきましょう。

18 プラスαの言葉

あなたは自分の気持ちを素直に伝えていますか？

人は嬉しい時は言葉にして表現しますが、悲しい時、悔しい時は心に留めておくクセがあるように思います。特に日本人はマイナス面の気持ちを表に出してはいけない、恥ずかしいと思いがちです。

マイナス面の気持ちを話してもらった人からすれば「素直だな」と感じられ、信頼を勝ち取ることができるのに、中々言葉にして伝えるのが難しいようです。

例えば、友人と待ち合わせをしていました。約束の時間になっても友人は現れません。遅刻の連絡もない。電話も通じない。どんどんイライラと心配が募っていきます。待ち合わせ場所に来たのは、1時間後。さあ、あなたは友人に何と言いますか？

「連絡くらいしなさいよ」「どれだけ待たせるのよ」「悪いと思っているの？」

第一声で相手を責めてしまっていませんか？

正直私も同感です。1時間待たされたんですもの、ひと言くらい言ってやりたい!!

ですが、ここでプラスαワードを足してみるのはいかがでしょうか？

「連絡くらいしなさいよ。何かあったかと思ってすごく心配したんだから」

「どれだけ待たせるのよ。喉渇いたし、おごってよね」

「悪いと思っているの？　心配しすぎて疲れた～！」

など、相手を気遣うフレーズをプラスすることで、相手もすごく楽な気持ちになります。

こちらの怒りだけを伝えてしまうと、「仕方ないし」「仕事だったから」などと、同じように怒りの言葉で返ってくる場合があります。

プラスαワードは人間関係を円滑にしてくれるのです。

そして、「心配だった」「悲しかった」「辛かった」。この3つの感情は年齢を重ねるにつれて、言葉で表現しなくなっていきますよね。

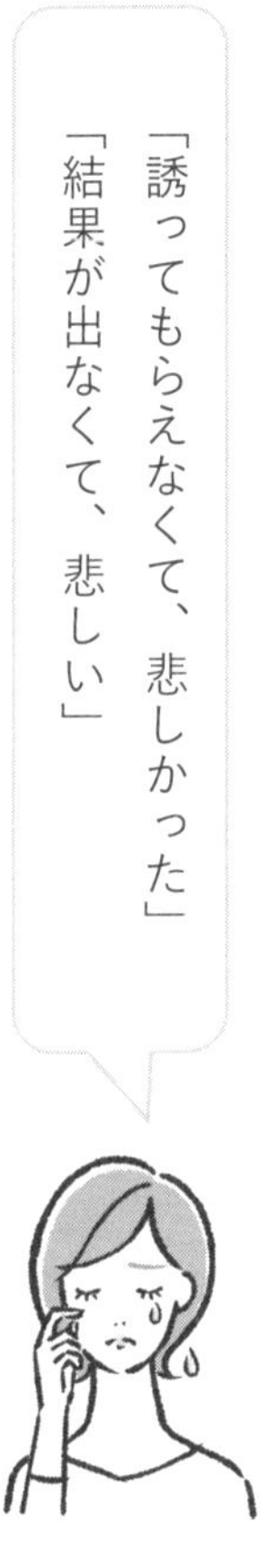
「誘ってもらえなくて、悲しかった」
「結果が出なくて、悲しい」

難しいけれど、言葉にすることでお互いの心も楽になります。

思いを声に出していきましょう。

伝えなければ、伝わらない。ただそれだけ。

それだけで変わる未来をたくさんの方に感じていただきたいと、心から思います。

19

感情の取り扱い方

日々、私たちはたくさんの情報を目や耳から得ています。

スマホやSNSの普及で、めまぐるしい数の情報が入ってきます。その情報で心を揺さぶられることはありませんか？

SNSでリア充と呼ばれる充実した生活をしている知人や友人の投稿を見て、私も心がざわついた経験があります。

友人はこんなに仕事がうまくいっているのに私はこのままでいいのかな？

これからどうなっていくのかな？　どんどん不安になっていきました。

きっと同じ経験をした方も多いと思います。そんな時、あなたはどう対応しますか？

多くの人は「いいね」ボタンを押さないそうです。

私も経験があります。ふだんなら、親しい友人の投稿には「いいね」ボタンを押していたのに、心のざわつきがそうさせませんでした。でもこれはまだ自分をコントロールできている方の対応です。

嬉しいこと、楽しいことは気持ちが軽やかですが、怒り、悲しみ、寂しさ、不安などのマイナス感情が現れた時は、その気持ちを上手に扱うことができずに、誰かや何かに対して、人として醜い態度をとってしまうこともあります。これはとても危険です。

以前、私の友人は、SNSのコメント欄を使ってある人を攻撃し始めました。あなたの投稿は嘘つきですと……。真実はわかりませんでしたが、SNS上で公開処刑のようなことをしたのです。

すると、逆に、別の人からその行動を批判。攻撃され、仕事にも影響が出てしまいました。**感情がコントロールできないと誰かを傷つけてしまうことも起こり得る**のです。

では、どのようにして、このマイナスの感情と向き合えばいいのでしょうか？

ここでも「セルフコミュニケーション」の出番です。

怒りを感じている時に、すぐに自分との対話は難しいと思いますが、この「セルフコミュニケーション」というワードだけでも思い出してほしいのです。

そして、**自分自身の中で、少し落ちついた頃に「なんでイライラするんだろう」と自分に質問をしてみてください。**

よく、怒りは6秒数えたら収まるなどと聞きますが、これは人それぞれです。

私も数えた経験がありますが、6秒数えたのに、収まらないやん!!　とよけいにイラついたことがありました。

以前、ある経営者が、商品の不良連絡が続いてストレスを溜めていらっしゃいました。心を込めて製品をつくっていても、仕方がないこともあるのかもしれません。ですが、イライラして社員に八つ当たりをするほどでした。製品の不良以外のことでも、社員にイラつきながら罵声を浴びせていたのです。すると、どうなっていくのか？

さらにマイナスの出来事が続きます。取引先が、別会社と契約したのです。

いわゆる乗り換えをしたのです。さらに社長のイライラは続きます。そう、悪循環がいくつも続いていったのです。

ここで何が言いたいのかというと、なぜマイナスのことが起こったのか？この出来事で何を学ぶべきなんだろう？　何を忘れているんだろう？　と気づこうとするかどうかが大切だということです。

大抵の場合は、感謝を忘れていた。休息が足りていなかった、余裕がなくなっていた、相手の気持ちをないがしろにしていた、などです。

何かマイナスの出来事があったならば、イライラしますが、「何に気づくべきなんだろう」と考えるクセをつけると、イライラも半減します。

それと同時に「セルフコミュニケーション」です。

なんで今、私は怒っているんだろう？
悲しかった？　寂しかった？　悔しかった？

ここで知っておいていただきたいことがあります。

それは「うらやましい」という感情が湧くのは、もうすぐ自分もそんな風になれるんだということなのです。だから人を妬《ねた》まず、いじけず、その時を待とうと思えばいいのです。

いろいろなことが日々起こります。私もイライラすることはたくさんありますし、心が落ち着かない時もあります。ですが、**マイナスの事象をプラスに置き換えることでものすごく楽になります。**

人は誰しも悩んだり怒ったりしますが、感情の取り扱い方を知れば、イライラ時間も短くてすみます。そして、そこからまたスタートできます。

そしてもう一つ、**決して怒ったりイライラしたりする自分を責めないでください。**

全部まとめて「私」なんです。**自分が自分の一番の理解者でいることがとても大切です。**

どんな私も「私」。

どんな感情であっても、自分らしく、毎日をスタイリングして豊かな心で過ごしたいですね。

20

危険な褒め方

人を褒めることは、素敵なことだと思います。

ですが、「可愛い」「素敵」を連発して、信用を失ってしまっている人、あなたの周りにいませんか？

逆に、「ごまをすっている」「媚びている」と思われるのがイヤで、人を褒めることができない人もいます。

本当に難しいですよね。

人を褒める時に、下心があるかないかの違いもあるのではないでしょうか。

人は褒められると嬉しいもの。

だから周りの人の良いところを見つけて、たくさん褒めてほしいと思います。

ですが、その言葉がクセになってしまうと危険です。

「それ可愛い」を連発している若者がいます。「可愛い」を言っておけば無難だと思っていることが、バレてしまいますよね。その結果、信頼を失います。

実は私も、子育て本を読んで実践したことがあります。それは、「すごいね」「さすがだね」を連発することでした。子どもから「ママ見て」を連発された時は、「すごいね〜」と言ってあげればOK。それだけで子どもは納得するのだと書いてあったのです。当時、3人の幼い子どもから次々に「ママ見て」と呼ばれるけれど、家事もある。仕事もある。やることがいっぱいでどうしようもなかった日々。

呼ばれるたびに「すごいね〜」と言っていました。最初のうちはそれが通じていました。ですが、ある時、長男から「ママ、ホンマにすごいと思ってるの?」と言われてしまったのです。口癖のように「すごいね〜」「さすが」をシステマチックに繰り返していた私。気持ちが欠けていたので、幼い子どもにも気づかれてしまったのです。

媚びること。褒めること。どちらも人を喜ばせることにつながります。

媚びることが決して悪だと、私は思いません。多かれ少なかれ、誰しも計算して人と接しているところがあると思います。

それより、感情が伴わない、口先だけの褒め方は要注意です。

心あってこそ。人はやっぱり心です。

21

嫌われるのが怖いと感じる“たった一つ”の理由

誰だって人に嫌われたり傷つけられたりしたくない。できたら人から好かれたい。信頼されたいものです。ですが、大人になるにつれて、嫌われないように無難に人と接している人が増えていきます。嫌われることに対して恐怖を感じている人も多いはずです。

では、「好き」の反対は何でしょうか？　多くの人は「嫌い」と答えます。ですが、ここでの正解は「無関心」です。

関心があるから、好き・嫌いなどという感情が湧いてきます。最初は嫌いでも、接していくうちに、嫌いじゃないかも……。あれ？　好きかも、と思った経験もあるでしょう。**好き・嫌いという感情は、まったく別のものと捉えられ**

ますが、ここでは相反しながらもイコールで結ばれ、まとめて「関心がある」としています。私たちが本当に恐れるものは、それらすべてを感じない・感じてもらえない「無関心」です。

嫌いと思われるなら「無関心」のほうがいいと答える方もいるかもしれませんん。人は誰かから興味を持ってもらえると、とても嬉しくなりますが、興味を持ってもらっても、それが「イヤ」な感情では辛くなります。

ここで何が言いたいかと言うと、**嫌われるのは、あなたに興味があるということなので、恐れる必要はない**ということです。「無関心」ではなく興味を持ってもらっているのですから。

喧嘩して、本音で話すうちに親友になったという話もよく耳にします。

大人になっていくと、中々友達ができないと思っている方も多いと思いますが、それは、嫌われないように上手に付き合っていこうと、無意識に自分を防御しているからなのかもしれません。

誰からも好かれたい、嫌われたくないと思って人と接していると、いつまで経っても距離は縮まりませんよね。恋愛と同じです。

人生、誰からも好かれたい！　ということ自体がほぼ不可能に近いので、それなら、自分に正直になって楽しく生きてみませんか？　嫌われたって関心を持ってもらっているのですから。

最初は、恐怖を感じるかもしれません。特に女子は、グループに所属していないと不安になる傾向が強いようです。

誰からも好かれる必要はないと思うだけで人と接することが楽になり、反対に素の自分をさらけ出すことで、より良い関係を築ける人が増えていきます。

偽りの自分ではないので、偽りのない人と出会っていく。良いスパイラルが生まれます。

もちろん、嫌われたり妬まれたりすることも、時にはあるでしょう。

ですが、興味を持ってもらっているのです。あなたに無関心でいるのではありません。無視されることが一番辛いですよね。

だから安心してください。誰からも好かれようとして自分の人生に遠慮する必要はありません。繰り返しになりますが、**自分とのコミュニケーションをとりながら、言いたいことは伝えていきましょう。**

22

「受け入れる」と「受け止める」

「自分を受け入れましょう。相手の気持ちを受け止めましょう」

本を読んだり、心について学んでいたりするとよく聞くフレーズです。

「受け入れる」と「受け止める」の違いは何でしょうか？

「受け入れる」ということは、相手の意見に自分自身の意見を合わせるということです。

例えば、友人が「ランチはA店に行こう」と誘います。本当はラーメンが食べたかった私。ですが、自分の気持ちはさておき、A店に行くことにしました。

これは相手の意見を「受け入れた」ということです。

一方、**「受け止める」ということは、相手の意見や主張を一度確認し、その**

後に自分の意見を確かめることです。つまり、自分の問題として認識することになります。

先ほどの例で言うと、

「あなたはA店のランチに行きたいのだね。でも、私はラーメンが食べたい気分なんだ」

これは、A店でランチが食べたい友人の気持ちを受け止めた上で、自分自身の意見をしっかりと伝えています。

その後のことは話し合いをするとして、ここで何が言いたいのかというと、人間関係において、すべて受け入れようとするから辛くなってしまうということです。

人対人。意見や考え方が違って当たり前。だからこそ、**相手の思いをすべて受け入れるのではなく、受け止めた上で接すると、とても楽しくなりますよ、**ということです。

思いを受け止めた上で、「もしかしたら、そっちのほうがいいな」と受け入れることになるかもしれない。

コミュニケーションで悩まず、円滑に楽しくするために、ぜひ「受け入れる」「受け止める」の違いを知ってください。

誰に遠慮することなく、思いは伝えていきましょう。

23

「伝える」と「伝わる」

「伝える」は一方通行、「伝わる」は相互通行。

伝えたつもり……コミュニケーションにおいて、実はこれがものすごく多いのをご存じですか？

本来、「コミュニケーション」とは、お互いに気持ちや思いを伝え合うことです。相手に何らかのメッセージを発信し、相手がそれを理解することなのです。

「私はあなたに伝えたからOK」では、相手に必ずしも100％伝わっているとは限りません。違うニュアンスで受け取られることもあるでしょうし、そもそもメールだったら読まれていないケースもあるのです。

相手に自分の意思を理解してもらって、初めて「コミュニケーション」なのです。

ある会社の管理職の方から、こんなお話を伺ったことがあります。

部下に指示を出しても、仕事がきちんとできていないケースが多いと。

原因を探ると、上司にとっての「当たり前」が部下にとっては「初めて」だったのです。

両者共に、問題はあります。

上司は「伝えたつもり」、部下は仕事を言われた通り「やったつもり」でした。部下は、わからないことは素直に聞いたほうがよかったでしょう。

ですが、ここにもコミュニケーションの問題があります。

上司に質問していいのだろうか？　叱られないだろうか……？　日頃の社内のコミュニケーション、風通しの良し悪しが大きく影響しています。

一見小さく見えるこうした問題も、数が増えれば会社にとって大きなロスになります。だからこそ「伝わる」コミュニケーションが、いろいろなシーンで必要不可欠なのです。

もう一例ご紹介します。

最近では、ラインググループなどで情報を共有するケースも少なくありません。これは話し方とは関係ありませんが、「伝える」「伝わる」のよくある問題です。

しっかりと上下関係ができている数名のメンバーでのライングループの話。メンバーの一人が資料を添付、確認をお願いしますと他のメンバーに連絡しました。全員既読になったので「伝えたつもり」でいたのです。

ところが数日経って、グループ内の上司から「その資料はまだできていないのか」と怒り気味に催促がありました。

「先日、送りました」とメッセージを返すも、催促した上司からは謝罪もなく、そのままメッセージもこなかったのです。どうしたらよいのか、怒っているのかな……と心配になり、いつまでもモヤモヤしたまま……。

こうなってしまった原因はいろいろあると思いますが、このケースでは、ルールを作ると問題を防げるかもしれません。

例えば、メッセージを読んだら「いいね」ボタンを押すと決めておくだけでも、かなりミスは減るはずです。「いいね」ボタンがつくことで、相互通行に変わります。「伝わった」のです。

信頼関係がまだできていない場合は、特にこの方法をオススメしています。上下関係のある場合なら、できればトップのほうからルールの提案をすると、コミュニケーションが円滑に進むでしょう。ルールを決めるのに抵抗があるようでしたら、自分から率先してボタンを押すのもいいかもしれませんね。

話す以外でも起こり得る、些細な掛け違いの「伝える」と「伝わる」。小さな工夫で防ぐことができます。しっかりと理解し、勘違いやミス、トラブルを減らしていきたいですね。

24

溢れる情報を〝自分の気持ち〟で精査する

私たちは、日々言葉を発信する環境に恵まれています。文章だけでなく、音声や動画でも発信できる環境にあるのは、素晴らしいなと思う反面、情報が溢れすぎていて、その情報をどのように受け止め、どのように自分の中で処理していくのかに戸惑ってしまうこともあります。

調べると何でもわかるという便利さと同時に、恐怖を感じたことがある方も多いのではないでしょうか？

自分の気持ちは決まっているのに、ＳＮＳで異なる意見を目にした時、心がざわついた経験はありませんか？

自分の意見として述べたいのに、批判される恐怖で、その他大勢のふりをしたり、誰かが言っていたふりをしたりしたことはありませんか？

あなたは堂々と自分自身を表現できていますか？

これは、情報過多であるこの時代の悩みの一つになっていると思います。

では実際に、たくさんの情報をどのように取捨選択していけばいいのでしょうか？　また、自分軸をしっかりと保っていくためにはどのようにしたらいいのでしょうか？

例えば、私の仕事の場合です。滑舌を良くしたいお客様に、滑舌を良くする方法をお伝えし、実際にレッスンをしていました。ですが、お客様自身が、早く上達したいので、インターネットで検索して別の方法を知り、私に伝えてくれました。

こんな時、あなたなら何を感じ、どんな行動に移すでしょうか？

もしかしたら、イラッとして、ネットの方法で練習すればいいじゃないかと怒るかもしれません。

または、自分のレッスン内容に自信がなくなってしまい、悩んでしまうかもしれません。

いろいろなパターンが考えられます。

私は、きっと**「そんな方法もあるんだね」と一度受け止めます。**

そして、その方法を自分のレッスンに受け入れるかどうかは後ほど考えます。

この、後ほど考えるというのは、もしかしたら、それが最新の情報かもしれないし、良ければ、取り入れたいので、調べてみる必要があるからです。

「受け止める」「受け入れる」、この違いが理解できると、たくさんの情報が溢れていてもおぼれることはないのかなと思います。自分軸を保つことができます。

この自分軸も、変えないのがよいというわけでは決してありません。

せっかく入ってきた**良い情報であれば、受け入れたほうが自分にとってもプラスになります。その情報をプラスし、ワンランクアップした自分軸にしていけばいいのです。**

たまに、「マネになりませんか?」「パクリになりませんか?」と聞かれますが、プラスαしているだけなので気にしないでいいでしょう。ですが、著作権などの問題もありますので、十分に気をつけてください。

そして、「これは本当なの？　どうなの？」と気になる時は調べることも大切ですが、「嘘？　本当？」程度であれば、心をニュートラルにして「そうなんだ」「そんな意見もあるんだ」と受け止めるだけでいいと思います。

自分に関わる「どうしよう」の場合は「セルフコミュニケーション」です。この情報は必要かな？　調べてみたい？　どうしたい？

そして、私が一番大切だと思うことがあります。

それは、その情報は誰からの情報なのか？　ということです。

私は、信頼している人の情報はほぼ信じます。反対に、ＳＮＳなどの面識のない人の情報は聞き流していることが多いかもしれません。

コミュニケーションでも大切な信用・信頼。情報も同じく人対人の信用・信頼ではないでしょうか？

コミュニケーションはいろいろなところに通じる「スキル」なのです。

コミュニケーションスキルをＵＰして、情報過多のこの時代を、自分らしく楽しく過ごしていきましょう!!

第3章

コミュニケーションに関するいろいろなお話

25

まず自分自身に正直であること

人から信用を得るためには時間がかかります。逆に、積み上げてきた信用・信頼は一瞬にして崩れ落ちることがあります。

皆さんも、一度は聞いたことがあるでしょう。

私は、信用・信頼は時間をかけて積み上げるものというだけではなく、コミュニケーション力による部分が大きいのでは、と感じています。そして、信用・信頼が一瞬で壊れるのは、そもそもそこに信頼関係がなかったのではないかとも思います。

では、時間をかけず、短時間で信用・信頼を得ることが本当にできるのでしょうか？　そのためにはいくつか大事なことがあると考えます。

それは、自分自身に正直であることです。相手に素直であることができれば、自分にも正直でいられると、私は信じています。

さらに、**裏表なし、建前もなし、そして自分に正直に、相手に対して素直であるという、その態度と会話が必須**です。

これができれば、信頼関係に時間なんてさほどかからないと考えます。大人になるにつれて、初対面では大抵の場合、お互いに探り合いをしながら話を進める傾向がありますよね。

私がインタビューをさせていただく方は、ほぼ初対面です。**心を開いていただくには、まず、自分自身が心を開くこと**を心がけてやってきました。

披露宴の司会では、新郎新婦とはもちろん初対面。打ち合わせ時間はおよそ1時間から1時間半。その中で、いかにリラックスしていただき、お二人の話を聞き出すことができるか。これができるかできないかで、当日の披露宴の成否は決まります。

心を開いていただく、話しやすい環境をつくる。そのために私は思ったことを「さらり」と伝えるようにしています。これはいろいろなシーンで使え、良いことを言う時はもちろん、悪いことを言う時にも使える技かもしれません。

また、短時間で心を開いていただくには、相手を知ろうとする姿勢も大切です。

❶相手を知り、❷自分に興味を持ってもらうこと。そして、❸共通点を見つけること。この3つができれば時間はかかりません。そこから、さらにより強固な信頼関係へと積み上げていくこともできるでしょう。

強固な信頼関係があれば、何か問題が起こったとしても、一瞬で崩れることはありません。いや、崩れかけることもあるかもしれません。ですが、そこに誠実な対応とコミュニケーションがあれば、もっと強固なものになる可能性のほうが高いのです。

何ごとも時間をかければいいという時代ではないと思います。

あなたが信頼を得たい人は誰ですか？

その相手に、誠実に、そして自分自身に素直に、大切に、信用・信頼を得ましょう。

26

さらり

さて、前項で「さらり」が使える技だとお伝えしました。

言いにくいことをどうしても伝えなければいけない時って、やはり緊張しますよね。

どのタイミングで言うべきか悩みます。

以前の私もそうでした。ドキドキして言い出せないことがいまだにあります。

ですが、そんな時は「さらり」です。

例えば、会社の先輩がよく遅刻をする。ミーティングの時間にも遅れてきて、迷惑している。そんな時はどうやって遅刻を指摘しますか？

①「Aさん、毎回遅刻をされると困ります。先輩なんですからしっかりしてください」
②「Aさん、今日も遅刻ですよ～。もう10分早く来てくれるとみんな助かるんですけどね」

遅刻しないでほしい。その思いは皆同じです。

ですが、②のほうが、「さらり」と伝えているので、印象もふんわりしていませんか？　角のない言い方ですよね？

①は後輩なのに、上から言っている感じが伝わってしまい、今後の関係性にも響きそうです。

もちろん、日頃の関係性にもよりますが、**言いにくいことを言う時は「さらり」を思い出してください**。

奥様におこづかいを上げてほしい時は、楽しい会話の最中に、「おこづかい3000円上げてくれたら嬉しいな～」と、「さらり」と言います。

旦那様に家事を手伝ってほしい時は、「ゴミ出しお願いできる？　助かるんだけどな〜」と、会話の最中に「さらり」。

そして、ゴミ出しをしてくれたら、「すごく助かった。ありがとう」と、思いっきり褒めてくださいね。

会話の最中に「さらり」と伝えること。

願いや思いを言葉にすると、さらっと叶ってしまいますよ。

27
子どものがんばりをさらにＵＰする話し方

子どもに勉強をしてほしい時、学校の準備をしてほしい時、お手伝いをしてほしい時、皆さんはどのように言っていますか？

「勉強しなさい」「宿題をしないと先生に怒られるよ」。これはＮＧです。

忙しい時など、それをしないとマイナスの出来事があるよと、ついつい言ってしまいがちです。

反対に、**「これをするとプラスのことがあるよ」と言ってあげることでやる気がＵＰするんです。**

「お手伝いしてくれると嬉しいな」。これは、ママが嬉しい、喜ぶことは、子どもにとってもプラスのことなのでがんばれるのです。

「宿題が終わったら一緒にテレビ見ようか」。これは、一緒にテレビを見ることがプラスの事象です。

「毎日、勉強がんばったら、週末お出かけしようか」。これはお出かけを目標にがんばれます。

子どもをモノでつってはいけない!!　とよく言われます。

確かにご褒美にモノを買い与えてばかりではいけないと思いますが、**子どもががんばれる、モノ・コトでやる気を出させるのはOKだと考えます。**

注意していただきたいのは、言い方です。

「週末出かけたいなら、勉強しなさい！」はNGです。

「勉強がんばったら、週末お出かけしよう!!　一緒にお出かけするのが楽しみよ」

こんな風に**対等な関係性で伝えてください**。

上からでなく、対等か、少し甘えるくらいでいいのかもしれません。

28

身近な人だからこそのお願いの仕方

家族は当たり前に毎日一緒に過ごしています。ですので、ついついわかってくれるだろう、知っているだろう、言わなくてもわかるだろう、なんでわかってくれないのだろうなど、「だろう」の考えで伝え方・話し方がおろそかになってしまうことがありますよね。

「だろう」意識がエスカレートして家族だからと、きつく言い放ってしまった経験はありませんか？

さらに、子どもだからと、上から言ってしまった経験はありませんか？

わかってはいても、私もいまだに「あっ、やってしまった……」という言い方を家族にしてしまい、夜になって反省することがあります。

家族だからこそ、「だろう」の考えで話をするのではなく、思いを言葉にして伝えていかないと、誤解が誤解を招き、関係性が悪くなるケースが多々あります。

ここでも「ありがとう」「ごめんなさい」をしっかり伝えることが基本です。

そして、家族の中で、**大人がしっかりと「伝える姿勢」を見せることによって、子どもは当たり前のようにそれができるようになっていきます。**

私の父は、職人です。亭主関白を絵に描いたような人で、幼い頃から私も、どこかに連れていってほしいなど怖くて言えませんでした。特に家族には言わなくても伝わるだろうという考えの父。母が我慢しているのは幼いながらにわかっていました。そんな生活を何十年も送ってきたわけです。

その結果、父と母は熟年離婚をしました。母はなぜ何も言い返さないのだろう、話し合いをしないのだろうと感じていました。2人は歩み寄ることもなく、お互いの気持ちを声に出すこともなく、素直になれず、プライドが勝ってしまい、残念な結果を生んでしまいました。もしかしたら、その環境で育ったから、私自身は人とのコミュニケーションにより興味を持ったのかもしれません。

今では、父とのコミュニケーションは良好で、お互いに言いたいことを言い合えています。

もっと早く、私がコミュニケーションについて学んでいたら、今、家族の形は違っていたかもしれません。

私の夫は反対に、「ありがとう」が「さらり」と言える人です。

私にだけでなく、他の人にも同様です。すごく正直な人なので、妻の私から見ても慕ってくださる方が周りに多くいるなと感じます。

話がそれましたが、**家族だからこそ、些細なことでも問題が起きたら放っておかず、けじめをつけていくことが大切です。**忘れるだろう。そのことに触れずにいよう。その考えは本当に危険です。そのままにせず、「さらり」と伝える。**居心地の良い関係性をいつまでも保ちたいなら、モヤモヤは解消することが大切です。**

29 損得勘定は隠そうとしても伝わります

誰かと話をしていて、この人は自分に興味がないなと感じた経験はありませんか？

面接で「落ちた」と感じる瞬間は、興味を持ってもらっていないと感じた時ですよね。

自分に無関心であることがわかるからです。

人間だから、すべてに関心を持ちましょう！　とは言いません。ですが、1対1で話をしている時や面接などで、「私はあなたに関心があってお話をしているのですよ！」と相手がそのような態度できた時は、「無関心」だけは避けたいものです。

何気ないその態度、実はものすごく傷つきますから。

イヤならイヤ!! 本音を伝えてあげてください。そうした強烈な言葉でも救われる人は実際にいるのです。

実際に私も「イヤ」と言われた経験があります。

それは、あるオーディションでのことです。面接での手応えと担当者の反応がほぼイコールだと感じていた時です。興味を持ってもらっていないことがわかったのですが、「あなたのナレーション技術よりも、顔がダメなのです」と言われたのです。

面と向かって「顔がNG」と言われると、さすがにショックです。

ですが、話を聞いてみると、正面から顔を見た時に、左右非対称があまりにひどいと。普段の生活では問題ないレベルですが、テレビの世界では見栄えが悪いのです。

無関心のまま放っておかれたら、私はずっと左右非対称のままオーディションを受け続けていたでしょう。そこからは、整体の先生に相談しながらセルフメンテナンスを続け、だいぶましになりました。そして、数回のオーディションを重ね、レギュラー番組を獲得しました。本当に感謝しかありません。

言いにくいことでも、「こういう理由があるからだよ」と言ってもらえることで、私みたいに救われる人も多いのではないかと思います。

また、受け手として、この人すごく褒めてくれるけれど、なんだかヨイショされているようでイヤだな……と感じた経験はありませんか？

損得勘定が見え見えとはいえ、やはり褒められると嬉しくて気づかないふりをしてしまうケースもあります。

例えば世間話の中で、自分自身より目上で、肩書きも持っている方だとわかった場合、「さすがですね」「すごいですね」と連呼した経験や、周りにそんな人を見たことはありませんか？

私も、もちろんあります。それが悪いことだとは思いません。言われたほうも嬉しいのですから。ですが、伝わっているのです。嘘やおだてなどの本当の気持ち、感情が。

何が言いたいかというと、**伝え方・話し方によって、相手を不快にさせたり、喜ばせたりすることができるということです。**

損得感情を隠そうとしても伝わってしまいます。損得勘定が悪というわけではありませんが、伝え方によって自分の価値を下げてしまう可能性があるので注意してほしいのです。人によって態度が変わる人も、こういったことからくるケースがほとんどです。

意図的であればOKですが、無意識に損等感情や無関心を伝えてしまうことで自分自身のイメージダウンになり、関係性が豊かになるどころか信用を失ってしまうことがあります。

会話は相手があってこそ成り立ちますから、偽りを口に出す時は特に注意が必要だということです。

30 質問力から始まるコミュニケーション

人は誰しも、コミュニケーションをとり、人間関係を豊かにしたいと思うのではないでしょうか？

私は一人で大丈夫。一人が好きだから、という方がたまにいらっしゃいますが、本当に？　本当は仲間と楽しく過ごしたいですよね？

コミュニケーションに恐怖がなくなってきたら、初対面の人に対して、関係性を深めていくために、ぜひたくさん質問してあげてほしいのです。

自分にインタビューをすることに慣れてくると、相手に対しても興味・関心が湧きますので、どんどん質問をして距離を縮めていくとよいでしょう。

「天気がいいですね」→「はい。そうですね」

これは自分の思いを述べて、相づちを求めているだけのコミュニケーション。クローズドクエスチョンと言います。

「地元はどちらなんですか?」「お子さんは何歳ですか?」「今までこちらに来られたことがあるのですか?」……質問にYES・NO以外で答える。これはオープンクエスチョン。

返答に対して、「さらり」とまた質問する。そして、共感できる部分があれば、思いっきり共感してください。

ここでも「さらり」。そして「共感」です。

共感の部分があれば、相手が心を開いてくれる可能性はぐっと高まります。

慣れてくると、頭で考えなくても、自然とコミュニケーション力がUPしている自分に気がつきますよ。

質問力は、お子さんの好奇心を広げてくれる大きな力にもなります。

自分へのインタビューに慣れてきたら、次は家族へのインタビュー。そして、いつしか他人にも「さらり」とインタビューできる自分になっているといいですね。

余談ですが、私が感じる質問力、コミュニケーション力の高い人とは、年齢を「さらり」と聞くことができる人です。

今まで会った中で、「さらり」と「何歳ですか？」と聞いてくれる方は、素直でコミュニケーション力が高いな、と感じました。年齢を聞くのは失礼なことだと言われますが、これからは年齢に執着しない時代であってほしいものです。

31 効果的な「ごめんなさい」「ありがとう」

大人なるにつれて、「ありがとう」は言えても、「ごめんなさい」を言うのに抵抗を感じる人が多いのではないでしょうか。

さらに、家族や近い存在になればなるほど、抵抗を感じませんか？

素直になることに、恥ずかしさや照れが入り交じっているのです。

そして、子どもたちを見ていて感じるのが、感情のない「ごめんなさい」。

例えば、喧嘩をしてお互いに手を出してしまった。

先生は話を聞いた上でお互いに「ごめんなさい」をしようと諭します。そして、向き合って、お互いに「ごめんなさい」。

ですが、子どもたちは何をして「ごめんなさい」なのかわかっていないケースが、実はすごく多いということを先生から聞いたことがあります。

だから、また同じことを繰り返してしまうのだとか……。

効果的な「ごめんなさい」とは、「〇〇して、ごめんなさい」、例えば「悲しい思いをさせて、ごめんなさい」「仲間外れにして、ごめんなさい」と、**何がいけなかったのかを相手に伝える「ごめんなさい」なのです。**

そうすると、「ごめんなさい」をした後のモヤモヤ感がまったく違うのです。

大人でも同じです。

「遅刻して、申しわけございませんでした」「約束を守れなくて、申しわけございません」と謝った後に、「実は……」と理由を述べるとよいでしょう。

「〇〇だったから、遅刻しました。ごめんなさい」

先に理由を述べる。これは言い方によっては、単なる言いわけにしか聞こえない場合もあります。残念ですよね。

謝る時は潔く!!

これができる私の周りの人は、人生どんどん豊かになっています。謝る力こそ、コミュニケーション力の大きな糧かもしれません。

どんなことがあって大丈夫。潔く謝ることができれば、いつでもリスタート!!

32 これからの敬語

初対面の人や、距離がまだ縮まっていない人との会話では、自然と敬語になってしまいます。

そして、距離が縮まるにつれ、敬語ではなくなっていく。

また、お互いに話をして「敬語はやめよう」となるケースも少なくないようです。私は子どもが3人いますが、ママ友たちとの会話で寂しくなるケースがありました。

それは、あるママ友はみんなとはフラットに会話をしているのですが、私にだけ、会話の中で敬語に変わったことです。

年上だから気を使ってくれているのはよくわかるのですが、ものすごく寂しかったのを覚えています。

時と場合によりますが、この経験を教訓にして、子どもを持つ同じママとして、**年齢に関係なく、年上の人であっても敬語をやめてフラットに話すように心がけています。**

上の子どもの時は、ママ友たちは年上の方が多かったので、私も当たり前のように敬語で接していました。だからいつまでも距離感がつかめなかったのかな、と今では思います。

その気づきから、ママ友たちに対して徐々に敬語をやめていきました。すると、距離感がまったく違うんですよね。私が心を開いていなかったということを実感しました。私が歩み寄っていなかったのです。

敬語とは、もちろん相手を敬いながら話す言葉です。

でも、敬語を無難に使うことよりも、**敬う気持ちを忘れずに会話を楽しむことのほうが大切**なのではないでしょうか。

いきなりため口で話をされると、「えっ？」と感じてしまうケースもありますが、**敬語を使えばＯＫという上っ面の気持ちではなく、人としての優しさ**

や、**相手を大切にする気持ちが大事**だと思います。

年上の方には絶対に敬語で話さなければいけない。そうした時代は過ぎたのかなと……年齢に関係なく対等に会話を楽しむママ友、仕事仲間、学年に関係なくお互いを名前で呼び合う子どもたち。

敬語は時と場合、相手によってカスタマイズできる余裕を持ちたいですね。

33

気持ち良い自慢話

会話の中で、「この人は自慢ばかりしている、大げさだな」と感じたことはありませんか？　自慢話はＯＫですが、あまりにも話を盛りすぎると、信用をなくすケースがあります。

他人にとって自慢に聞こえてしまうかもしれない事象を話す時のポイントが、４つあります。

①「さらり」と話す

②自分のことを一般論として話す

③自慢してもいい？　聞いてくれる？　と最初に言ってしまう

④ 喜びを素直に表現する

これを心がけるだけで、まったく嫌味がなくなります。

特に仕事で大きな契約を結ぶことができた、そんな時は④番。

「やったー!! 通い続けてやっと契約がとれた!!」

こんな風に素直に喜んでいる姿を見ると、誰でも自慢しているなと捉えるのではなく、心から「良かったね」と嬉しくなるものです。

ここでもやはり素直であることが大切です。

自分に正直に。「さらり」と伝える。これはいろいろなケースで使えます。

人対人。**心ある人だからこそ、どんな時も飾らず感情を表現することで、より良い人間関係、未来が開けていく**と思います。何度も言いますが、その際に注意することは言葉の紡ぎ方なのです。

34

良いこと探しのクセ

ここまでお伝えしてきたように、話し方・伝え方が変われば、伝わり方が変わってくる。コミュニケーションが楽しくなり、より豊かな毎日を築いていくことができます。

そのためには、自分自身とのコミュニケーションをとることがコツでもあります。

そして、言葉の紡ぎ方がすごく大切です。

さらに、もう一つ。

それは、**毎日良いこと探しをして、眠りについてほしい**ということです。

コミュニケーションとはまったく関係がないかもしれません。ですが、私はこれによって、夢を叶えるスピードが劇的にUPしました。

日常でも、**誰かの悪いことに目をやるのではなく、例えば、イヤなことが起こっても、それで気がつくことができたとすべてプラスに変えていく**のです。

布団の中で、今日も楽しかったな、素敵な出会いがあったな、上司に注意されたけれど、今後に活かすことができるから良かったのだ、などと考えます。

イライラした気持ちなどを抱えて眠ると、どうしても次の日まで引きずってしまい、マイナスの事象がさらにマイナスの事象を引き寄せる気がしてなりません。

このあたりは専門家ではないのでわかりません。ですが、良い言葉、良いイメージは素敵な未来をつくるということを強く感じます。

私は子どもたちに、どんなに喧嘩をしていても、ふてくされていても、とにかく寝る前に「笑え！」と言っています。

笑顔になって眠ることで、マイナスを引きずることがなくなるのです。

ここに、コミュニケーション力が加われば、さらに人の力を借りることができ、より素敵な未来が待っているのではないか。

ぜひ多くの人に実践していただき、自身の描く未来をより豊かなものにしていただきたいのです。

私もまだまだ夢の途中です。

良い言葉を紡ぎ、コミュニケーションを楽しんでいきましょう。

35 外国人とのコミュニケーション

私は学生時代、英語が得意で、大学ではもっと語学を学びたいと思い、ドイツ語学科に進学しました。

すると、英語も中途半端、ドイツ語も中途半端。話すこともできなければ、綴りが英語かドイツ語かわからず、パニック状態のまま今に至ります。

結果、まったく話すことはできません。それでも、外国人と一緒に仕事をしていた経験もありますし、外国人とのコミュニケーションを楽しんでいました。

今でも、時々話しかけられます。

では、どのようにしてコミュニケーションをとっているのかというと、まずは**目を見て「あなたの話を聞いていますよ」「わかろうとしていますよ」と訴**

えます。

そして、わかる単語だけで、会話を成立させるのです。成立しているとは言えないかもしれませんが、その時間を楽しむことができます。ここに私の場合はジェスチャーが入ります。

外国人だけに限らず「話を聞いてもらっている」という安心感が、心を開くきっかけになるのではないでしょうか？

この人、私の話を聞いていないなと感じたら、話すことをやめてしまいませんか？

私はそうです。

外国人ともスムーズな会話ができなくても、コミュニケーションはとれるのです。

怖がらず、楽しむ気持ち!!　これが一番。

今度、外国人と出会ったら、笑顔で話を聞いてあげてくださいね。

第4章

話すのが楽しくなる実践方法

36

滑舌を良くする練習法

話をしていてよく人から聞き返されてしまう人は、「声が小さい」「声に張りがない」「滑舌が悪い」といった理由がほとんどです。もちろん、環境などが影響していることもあるでしょう。

ここでは滑舌を良くする方法をお伝えします。

第一は、早口言葉の練習です。

「あ行」から「わ行」まで、苦手な行の早口言葉を練習します。インターネットで検索すると、たくさんの例文が出てきます。

まずは、ゆっくり丁寧に。早口言葉と言うと、速く話さなければいけないイメージがありますが、「a　i　u　e　o」の母音の口の開きに集中することが重

滑舌練習例文

あいうえお ……… ▶ んあんいんうんえんお

かきくけこ ……… ▶ んかんきんくんけんこ

さしすせそ ……… ▶ んさんしんすんせんそ

たちつてと ……… ▶ んたんちんつんてんと

なにぬねの ……… ▶ んなんにんぬんねんの

はひふへほ ……… ▶ んはんひんふんへんほ

まみむめも ……… ▶ んまんみんむんめんも

やいゆえよ ……… ▶ んやんいんゆんえんよ

らりるれろ ……… ▶ んらんりんるんれんろ

わをん ……… ▶ んわんをん

要です。

慣れてきたらスピードをUPしていくようにします。この方法が、滑舌が良くなる一番の近道だと感じています。

そして、第二の練習方法は、頭に「ん」をつけて50音を読んでみることです（前ページ参照）。

一音ずつ丁寧に読んでいきましょう。

語尾が「〇〇でした〜」と「た」が伸びてしまい、甘い印象を与えてしまうあなたには、た行の練習が効果的。

「〇〇します〜」と「す」が伸びてしまい、締まりがない話し癖のある人は「さ行」の練習に重点を置きます。

即効性のある「ん」。これすごいですよ。

ぜひ自分に合わせて練習してみてくださいね。

37

スピーチ開始10秒で失敗すると成功する!?

スピーチなど、人前で話すことが苦手な方って多いですよね。

私は、披露宴の司会をたくさんやらせていただきました。その中で、新郎からの相談内容に、

「何をお話ししたらいいのですか?」「噛んだらどうしましょう」「緊張するのですが、どうしたらいいですか」「司会者さんに代読してほしいです」

などがあります。

これは、披露宴がスタートしたら、新郎からのウェルカムスピーチをするのが主流になっているからです。

私の返答は、

「思いっきり噛んでも大丈夫ですよ。失敗もＯＫですよ」

え？　なんで？

だって、新郎が噛んでも、失敗しても誰も責めませんよね？　むしろ笑いが起こって場が和やかになるのです。だから、私はたくさん噛んでください、と言い続けています。失敗という言い方が当てはまるかはわかりませんが、新郎からのスピーチ後に来賓の挨拶や乾杯の発声があるので、その方たちのためにも失敗してほしいのです。それは、来賓の方々が笑いの後に、リラックスしてスピーチに臨めるからです。

特に関西では、笑いの後に、また笑いをとろうとがんばってくださる方がいますからね。

だから、**勇気を出して失敗してください！**

それは披露宴だからでしょ？　仕事で失敗なんてできるわけがない！　とお怒りの言葉が返ってきそうですが、披露宴に限ったことでは決してありません。

例えば、関東の方が関西でスピーチをする際は、笑いをとらなければ……と恐怖に感じることがあるそうです。

そういう時には、それをそのまま言葉にするのです。

「関西の人は笑いを待っているから怖いんです。皆さん期待しないでくださいね。そして面白くなくても笑ってくださいね」と。

こんなことを言ったら失礼ではないか？　そんなことまで言葉にするの？と思われがちですが、**ミスをする前にネタにするのです。失敗するのです。ミスの後にもネタにするのです。**

どんなに地位や名誉のある方でも、同じ心のある人間。

人前で話をすることが苦手な人というのは、聞いてくださる方の反応が怖い、ということがほとんどです。

ですが、それは、ご自身を良く見せたいという思いからくるものです。

ありのままの自分で話すことに集中してみると、案外、気が楽になるものですよ。

私は、人前で話すことを仕事にしていますが、やはり毎回緊張します。足の震えが止まらないことも、20年以上経った今でもあります。

また、とても地位のある方との打ち合わせなど、緊張するシーンもありますが、**ありのままの私でお話をさせていただくことを心がけています。**ほんの少し、いつもより上品な私ではありますが（笑）。

例えば、緊張して脇汗をかいていたら、「緊張しすぎて脇汗が止まりません」と。さすがだなあと思うお話があったら、「見てください、鳥肌立ちました」と、腕をお見せすることも。

また、長くしゃべり続けていたら、「おしゃべりしすぎて、口が乾いちゃいました」などなど……。

こんなこと、恥ずかしくて言う必要性などありませんよね!?

ですが、不思議と皆さん心を開いてくださるのです。私は、思ったことを口にするようにしていますが、今までこういった一見恥ずかしいことを言葉にして怒られたことはありません。

むしろ、地位や名誉のある方は、大声で笑ってくださり距離が縮まることのほうが多いのです。

正直者だからなのか、嬉しいお声とお仕事までいただくケースも少なくありません。周囲の方がヒヤヒヤされていることは多々ありますが……。

人前で話すことに緊張する方は、まずは、ありのままの自分でいる勇気を持ってください。

「緊張でガクガクです」「かっこ良く話したいと思い練習しましたが、この場に立つと頭が真っ白です」「話す順序を忘れました。温かく見守ってくださ い」「笑いが勇気になります。面白くなくても笑ってください」「沈黙だけはやめてください」「よく噛むんです」「早く終わってビールが飲みたいです」と。

スピーチ開始10秒で噛む。心の声を話す。

そうすればあなたのスピーチは必ず人の心をつかみ、成功へと導いてくれます。

あなたの心の声を口に出してから、スピーチを始めてみてください。

38

すぐ実践！張りのある良い声の出し方

声に張りがない、声が低い・高い、よく聞き返されるなど、声のお悩みは人それぞれ。

ここでは、すぐに自分の声が「あれ？　話しやすい！」「良い声になった」と皆さんに実感してもらえる簡単な方法をお伝えします。

用意するもの

★ワインコルク

（5㎝程度の長さがあり、歯に負担のないものを代用していただいてもOK）

個人が安全性を考えて実践してください。

方法

① 口の中に縦にコルクを入れます。その時、歯でガードして、口からコルクが出てこないようにしましょう。

② 一音ずつ声に出してみてください。

★あえいうえおあお　かけきくけこかこ
させしすせそさそ　たてちつてとたと
なねにぬねのなの　はへひふへほはほ
まめみむめもまも　やえいゆえよやよ
られりるれろらろ　わえいうえをわを

※その際、よだれが出てくるのでご注意を。

③ コルクを口から取り出します。

④ 同じく　★あえいうえおあお……でもいいですし、新聞など何か文章を読んでみてください。

以上です。

どうですか？　声に張りが出て、口もよく動くし、自分史上最高の声になっていませんか？

声が出にくい時、大事なプレゼンの前などにも、ぜひやってみてください。

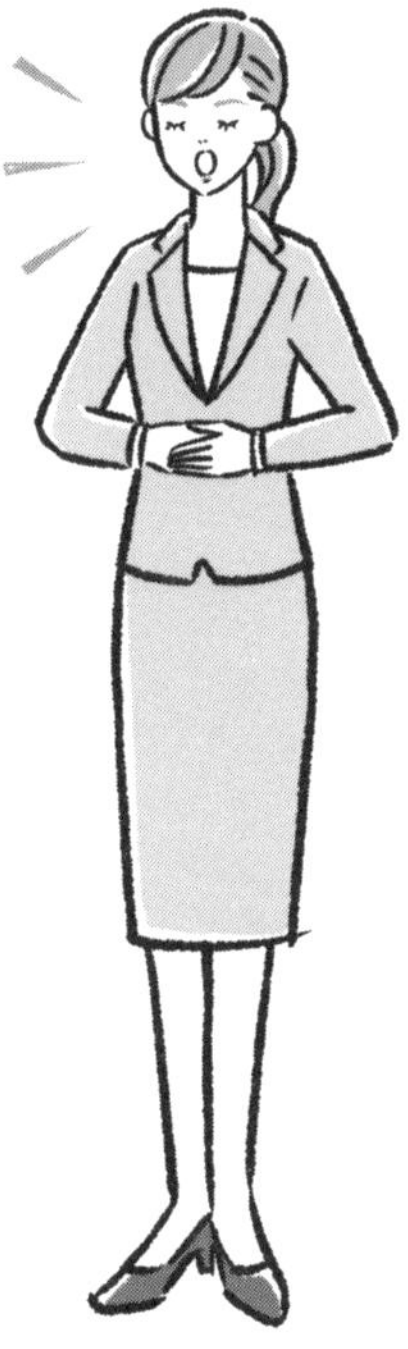

39 数字は会話の有効手段

会話をしていて、この人いったい何が言いたいのだろう、と感じたことはありませんか?

もしかして、私の話し方ってダラダラしゃべりなのかも、と思ったことはありませんか?

話が長い人は、要点がまとまっていないのです。すべて時系列で話をするので、だらだらとなってしまうのです。そんな人は数字を有効活用しましょう。

Ex 1

次のテストの要点を3つ言います!! 必ずチェックしておくように!

1つ目は……、2つ目は……、3つ目は……。以上3つが今回のテストの要点です。

要点はこれなのだとわかりやすいし、話すほうも伝えやすいですよね。

Ex2

聞いてほしいことがあるけれど、時間がないから今回は2つだけ!! まずね……、あと1つは……なんだ。時間がないから後は次回ね。

いかがでしょうか?

数字を活用する話し方は、仕事でもとても有効です。何かを報告する際も、要点が伝わりやすいですし、誰かに何かを教える際にも、重要な箇所の順位づけも可能になります。

あなたの周りで仕事ができると感じる人は、数字をよく使っていませんか?

また、数字を使えば**要点を自身でまとめるのも容易になるので、とても有**

効です。

思い出してみてください。幼稚園や保育園で、先生が「3つだけお約束してほしいことがあります。1つ目は……」と話していませんでしたか？

さりげない毎日の会話から、数字の有効活用をぜひ取り入れてみてください。

40

話の長い人はまず結論から話そう

「PREP法」というビジネスで使われる文章構成方法をご存じの方もいるのではないでしょうか。

これは、時間がない時に使うと有効とされている法則です。

Point……まずは結論・主張
Reason……理由
Example……具体例・実例を挙げる
Point……結論・主張をもう一度

この法則はとてもわかりやすいと、私は思います。
ふだんの会話でここまで頭で考えるのは正直面倒ですが、スピーチやプレゼンなどでは有効だと思います。
そして**日常会話では、まず結論から話す‼**これがとても有効です。

例文1 今日、朝からお客様のところに行って、お茶をごちそうになっていたら、ピンポーンと鳴って、誰かお客様が来たなと思ったから、帰ろうとしたら、その人が、昔の上司でお互いびっくりしたんだよ。世間って狭いなと感じたよ。

例文2 今日、すごくびっくりしたことがあったんだよね。
○○さんにばったり再会したんだ。実はお客様のところにお伺いしていたんだけど、昔の上司の親友だったみたいで。世間は狭くてびっくりだよね。

同じ内容を話していても、例文2は先に結論を伝えることでとてもスマートに聞こえます。

例文1のような話し方をする人は意外と多いです。時系列で話すことも時には必要ですが、話が長いと言われる人は、ぜひ一度試してみてください。

この人と話していたら楽しいな、この人と話をすると疲れるな、この差は「話し方」によるものがほとんどです。

今一度、あなたの話し方が相手にどんな印象を与えているのか、素敵な人がどんな話し方をしているのか、研究してみてください。きっと会話がより一層楽しくなりますよ。

41

好感の持てる間のとり方と相づち

私たち人間はしゃべりたい動物です。特に女子はしゃべりたいのです。おしゃべりをしてストレスを発散させることがよくあります。実際、私もそうです。

会話の最中、相手が間をとらずに話を割ってきて、イラッとした経験はありませんか？　しゃべりたい欲求が強すぎて、本人は話を割っていることにさえ気がついていないことがあります。

悪気はないのです。ですが、これが怖いのです。

なぜかというと、「あの人と話をしても、聞いてないし、話しても無駄」と、いつしか相手にそう思わせてしまうからです。

雑談はいいけれど、大事なことは伝えられないなと。結果、信用・信頼をなくしてしまうのです。話し方で人が遠ざかるなんて悲しすぎます。

では、どうしたらいいのか？

簡単にできること。それは、**間をとること**です。

間のことをポーズとも言いますが、**自分が話をしたら、少しポーズを置きます。たったこれだけでいい**のです。

ポーズを置くことで、あなたの話を聞いていますよ、と相手に伝えることができ、相手も聞いてもらっているのだと無意識に感じることができるのです。時間にして、たった2秒でOK。ポーズを置くことは、相手からの信用・信頼を得ることにつながります。

テレビで国会中継を見たことがあると思いますが、議員の方であっても、白熱してきたら相手の話を聞かず、我こそ先にと話をしていますよね。人間、誰しも興奮したらポーズを置くことができなくなりますが、聞く姿勢を相手に見せることで、相手の対応が変わることも多々あります。まずは2秒、ポーズを置きましょう!!

これは、スピーチなどにも使えるのでぜひ使ってみてください。

そして、相づち。

相手があってこその会話です。話を聞いてもらいたい。だからこそ、こちらも聞いていますよという姿勢を見せるべきです。

ポーズと同じで、相づちも大切なポイントの一つです。

一生懸命話をしているのに、反応がなければ辛くなってしまいますよね？

では、どんな相づちが効果的なのか？

1つ目は、**相手の顔を見て、うなずくこと**。

よく、相手の目を見て話を聞きなさい、と言いますが、目だけを見ようとすると、的が小さすぎて、相手に圧をかけてしまうことになりがちです。あくまで**自然に、がベスト!!**　話の最中に「うん、うん」とほんの数回首を縦に振るだけでも効果があります。

2つ目は、**相手の話したことを反復して、言葉や内容を繰り返すこと**です。

例えば、「さっき言ってた新しいお店ってどこなの？」。

この「さっき言ってた」というワードはとても使えます。本来、私はテクニックで会話をすることが嫌いです。ですが、このワードを自分のものにさえしてしまえば、自然と使えます。

相手の言葉を繰り返すことで、相手にとって**聞いてもらっているのだという安心感、信用・信頼にもつながります。**

3つ目。これは、時と場合によりますが、**手を使うこと**です。

多少オーバーリアクションになりそうですが、相手を心地よくする動作です。

面白いこと、びっくりしたことには拍手をする。手を叩く。

怖い話を聞いたら、手で耳をふさいでみる。

悩ましい話の際は、頭を抱えてみる。

このように手で表現できることはたくさんあります。

相手にとって、**話を聞いてもらっているという安心感をも生み出してくれます。ただし、やりすぎには注意**してくださいね。

42 非対面での話し方・4つのポイント

新型コロナウイルスの影響で、在宅ワークをする人が急増しました。

その結果、Zoomなどを使用してのミーティングを余儀なくされた方も多いのではないでしょうか？　また、他人とアプリ内でおしゃべりを楽しむなど、非対面で話す機会が増えた人もいることでしょう。

先日、アプリ内で興味深い話をしている人がいたのですが、話し手の話し方がイヤで途中でやめた、という内容でした。

好みの顔があるのと同じように、好みの声というものもあります。

反対に、この話し方だけは苦手だという人もいるでしょう。

私は、甘えた話し方をする人、必要以上に語尾が伸びる話し方をする人が苦手です。

非対面での会話は対面よりも話し癖が際立つということを、十分理解してください。

そして、スマホやパソコンを使用しての会話は、**対面以上に間（ポーズ）が必要**になってきます。

では、ここからは非対面での会話をより心地よいものにするためにできることをご紹介しましょう。

①滑舌良く話す

声のボリュームは調整できるので、それほど敏感にならなくてもいいでしょう。ですが、媒体を通して会話をしているので、滑舌の良さは対面よりも必須になってきます。

まずは、**姿勢を正すことです。体にたくさん空気を入れて話すことが大切**です。

思いっきり空気を吸ってくださいということではありません。姿勢を正し、背筋を伸ばしているだけで、必要な空気は体に入ってくるので安心してください。

そして、会話を始める前に、思いっきり口を動かして、口の周りの筋肉をほぐしてあげてほしいのです。大きく口を開いて、「あ　い　う　え　お」。時間がある時は、先ほど137ページでお伝えした方法を試してみてくださいね。

②間（ポーズ）をプラス1秒

前にも述べたように、対面の際は2秒のポーズをオススメしていますが、非対面の際は、さらにプラス1秒を心がけてください。

最近の機器は高性能で、環境も整っているのでタイムラグはそれほどないと思いますが、**画面越しに相手がいる場合は、相手が会話に入れるように心配りをしてほしい**のです。どのタイミングで会話に入っていいのか、非対面では意外と難しいものです。

3秒にこだわらず、様子を見ながらですね。

そして、**聞く姿勢も忘れずに、会話を楽しみましょう。**

③スピード

これはすごく大切です。

最近では音声データを使用してスキルを売り買いすることも増えていますよね。

私も、何度か買った経験があります。

その際に感じたことは、相手が口で、何を言っているのか頭に入ってこないということでした。

聞き取れないといったほうが正解かもしれません。

相手がいる会話は、お互いに歩み寄り、心地よいスピードをつくり上げていくことが可能ですが、一方通行の時は、特にポーズ、スピードに気をつけなければいけません。

相手の相づちがあったと想像しながら進めるくらいでいいのです。

対面よりもほんの少し、ゆっくりを心がけましょう。

④抑揚高低

テレビやラジオのニュースキャスターは、一本調子でニュースを読んでいるように聞こえるかもしれません。ですが、聞き取りやすいように、しっかり音の位置（声のトーン）を調整しているのをご存じでしょうか？

長い文章を読み続けていくと、音がどんどん低くなっていきます。

そこで、句点（。）のたびに音の高さを元の高さまで戻し、内容によって音の高さを調整しているのです。

抑揚も、内容に合わせて調整しているので、ラジオのように映像がなくても聞き取りやすいのです。そして画を想像できるのです。

非対面で長時間話を続けていくと、どんどん声のトーンが低く、抑揚がなくなってきて、だらだらしゃべりになりがちです。

相手を疲れさせないためにできること、それは、意識を変えることだと私は思います。

意識を変えること、それはメリハリをつけることと似ているのかもしれません。

ずっと同じ調子で話をしていると、聞いている相手は疲れてしまいます。いや、飽きてしまうのです。そこでポイントになるのが、

●相手に質問をする、話を振る

相手が話せる場をゆったりとつくってあげることも大切です。

●余談、雑談を楽しむ、興味を引く

時と場合によりますが、相手の表情が読みづらい非対面での会話では、本筋だけでなく脇道的な話も必要です。

相手に対する心遣いをより大切にしたいものです。

43 言葉の3Kで信頼度UP

第1章でも述べましたが、**言葉の3Kとは「感謝」「感激」「感動」の3つ**だと私は考えます。この3つを言われて、気分が悪くなることはありませんよね。むしろ、とても嬉しく思うはずです。

例えば、こちらはどうでしょうか？

A　今日はありがとう。

B　今日はありがとう。来てくれてとても嬉しかったよ。

どちらも「ありがとう」と伝えているので、言われて気分が悪くなることはまずありませんが、Bのほうがより相手に心が伝わりませんか？

人は相手から認められることで、心を許します。心を開きます。味方であると、無意識に認識する傾向もあります。

実際、私もそうです。

悩みがあって、それに対して本当のことを言ってほしい反面、受け止めてほしい、背中を押してほしいと思いがちです。

「受け止める」と「受け入れる」の違いはもうご存じですよね。

ありがとうの「感謝」「感激」「感動」。

このことを言葉にして伝えてあげるだけで、**あなたは相手からより信頼してもらえるだろうし、ありがとうの言葉は自分にも返ってきます。信用・信頼が生み出すものは、想像を超えています。**

日頃、当たり前だと思っていることに対して、ひと言「いつもご飯をつくってくれてありがとう」「毎日、暑い中お仕事ご苦労さま。感謝しています」。

家族だからこそ、恥ずかしく照れくさくて、中々伝えられない「感謝」「感激」「感動」。
自分が変われば、相手も変わります。
返事や挨拶はもちろん、ありがとうの気持ちもどんどん伝えましょう!!

44

声のスマイル

昔流れていたCMに、「声の笑顔」というフレーズがあったのを覚えていらっしゃる方もいるかもしれません。

当時は声の仕事をしていませんでしたが、私にとって、衝撃的なフレーズでした。営業アシスタントでテレアポをしていた際に、お客様のアポをたくさんとっていた経験があります。その際、営業マンと他社の採用担当の方から、「どうしてそんなにアポがとれるの？　気をつけていることは？」と聞かれたことがあります。

私は「**声の笑顔を心がけています！**」。そう答えました。

何気なく実践していたことで、人に褒められたことがものすごく嬉しかったことを今でも覚えています。それから、もっともっと「声の笑顔」を意識するようになりました。

すると、どうなったのか？

電話の相手は私のことをまったく知りません。ですが、明るくハキハキと話していると心を開いてくださり、窓口の方に担当者を紹介していただいたり、大手の会社の社長ともお話をさせていただく機会が増えました。

顔が見えないからこそ、相手に与える印象というのは、些細なことで左右されます。

相手がムスッと話をしていたら、なんだかイヤな気分になりますよね？

言葉の言い回し、相づち、ポーズ、そして声のスマイル。

個人であれば印象が悪くなろうと、その人だけの問題ですみますが、会社の場合、企業のイメージに大きく影響します。

声にも表情があります。悲しい時、Ｈａｐｐｙな時では声のトーンも変わります。

無理をして偽ってください！　と言っているのではありません。

声には表情があるのです。スマイルを意識することで、相手に与える印象がガラリと変わることを知っていただき、日々の生活に取り入れてほしいと思います。

私は、**幸せは、自分自身の行動や考え方はもちろん、声からもやってくると思っています。声の意識を変えるだけで、相手の対応も変わりますよ。**ぜひ、試してみてください。

45

高低、速さ――人間関係の悩みは声で解決する

あくまで個人的な考えですが、話す時の「声の高さ・低さ」、「ゆっくり」「速く」などで、あなたはこのパターンの人と、当てはめることがあります。

ですが、声や話し方で悩みを抱えている人は、このパターンに当てはまらない場合がほとんどだと思います。ここで、いくつか例を挙げていきます。

まず、私の知り合いで、声が高く、話し方がとてもゆっくりな方がいらっしゃいます。こういう方は少なくないと思いますが、その中でも声がとても平べったいのです。

優しく聞こえる反面、声がぺちゃっと平べったいと、甘ったるく聞こえ、仕事ができない印象を与えてしまいます。

次に、素敵な声をされていますが、話すスピードがとてつもなく速い男性がいます。

その方が相手に与える印象は、自己中心的です。仕事の際は仕方なくても、仕事から一歩離れると、誰も真剣に話を聞いてくれないという結果を生み出しています。

最後にもう一人。この方は声の悩みを抱えていらっしゃるわけではありませんでした。普通に話をしていたら何の問題もありません。ですが、周りから距離を置かれてしまうというのです。実は何十年も悩んでいたそうです。

原因を探っていくと、この方はふだんはいいのですが、自分の主張を言う時などの言い回しがとにかくキツかったのです。怖いほどでした。

何が言いたいのかと言うと、**声が相手に与える印象はスピードや高低だけではないということです。言葉の紡ぎ方、相手を思う気持ち、音のつくり方など、様々なことが関係しているる**ということです。

人間関係の悩みは、声や話し方で解決することが多々あります。

自分が相手に与える印象を知るには、まずは近くにいる人にあなたの印象を聞いてみるといいでしょう。お子さんがいらっしゃる方は子どもに聞くのもオススメします。とても正直に答えてくれますよ！

当たり前のように口にしている言葉で未来が変わるということ。

話し方が変われば、伝わり方が変わります。そして、言葉の紡ぎ方を丁寧にすれば、良いご縁に恵まれます。

声や言葉が運んでくれる幸せをより多くの方に知っていただき、実践していただけたら本当に嬉しく思います。

自分に素直に、より楽しく豊かな毎日を……。

おわりに

　この本を出版させていただくにあたり、本当にたくさんの方にお世話になりました。

　今振り返ると、直接出版につながっていないご縁もありますが、どれ一つでも欠けていたらこの本は出版されていません。そう思うと、とても感慨深いものがあります。

　私は幼い頃から、なぜか「いつか本を書くことになるだろう」と思っていました。

　これは根拠のない「カン」だったので、もちろん誰にも話したことはありません。

　ですが、Ｃｌｏｖｅｒ出版の小川会長にお会いしたことをきっかけに、それは瞬く間に現実の話となり、私自身が行動を起こしていました。

人生は、誰と出会うか、どう行動するか、どんな言葉を紡ぐのかで大きく変わってくるな、と実感しています。

大学卒業後、夢を叶えるためにフリーで働いた経験。

当時、私の立場はフリーターと同じでしたから、なんとなく引け目を感じつつも、自分の心の中にある〝思い〟を伝え続けました。その〝思い〟は誰かに伝わり広がり続け、どんどん夢が叶っていきました。

伝えないと伝わらないことがある。

そして、「伝える」と「伝わる」の違い……「言葉」は奥が深いなと思います。

現在は、声の仕事をしながら、地元・滋賀県でオーダーグッズのお店を経営し、自身の子育て経験を活かし、カスタマイズできるキッズブランド「やんちゃキッズＨｉ-Ｈｉ」をプロデュースさせていただいています。

私が「起業」という形をとったのは、３人目の子どもが０歳の時でした。

あの頃は、ママでも、子どもが小さくても、好きなことを仕事にできる、両立できるということを証明したいと意気込んでいたのを覚えています。

そして今の私。まだまだ夢の途中です。これからも、人とのご縁を大切に、紡ぐ言葉で変わってゆく未来を体感していきたいと思っています。

肩肘張らずに「ゆるく楽しく、私らしく」を合言葉に。

この本を手にとってくださった方の未来が、より豊かなものになりますようにと願いを込めて、心から感謝を伝えさせていただきます。ありがとうございます。

最後になりましたが、Ｃｌｏｖｅｒ出版の皆様、そして本書にかかわってくださったすべての皆様、素敵な本に仕上げていただき、本当にありがとうございます。

この経験を私自身の大きな糧として、誰かに還元できたらと心から思います。

坂野 典子

profile

坂野 典子　さかの　のりこ

フリーアナウンサー、Voicestylist®

大学在学中より、フリーアナウンサーとして活動。NHKBS「街道てくてく旅」のリポーター、NHK連続テレビ小説「スカーレット」内「スカーレット通信」コーナー担当、ニュースキャスター等を経験。

TV、ラジオ、MC等「伝える」仕事をする中で、延べ5000人以上にインタビューを実施。先に自分が心を開くこと、相手の話に真摯に耳を傾けることの大切さ、相互通行のコミュニケーションの重要性など、たくさんの気づきに出会う。

2013年より「話し方が変われば伝わり方が変わる」こと、また丁寧な言葉づかいやコミュニケーションスキルは「会話を通して人との距離感さえも変える」ことを体感、コミュニケーションやCS（カスタマーサティスファクション／顧客満足）などについて、さらに深く学び始める。

現在は「salon Voice」を主宰。話し方や伝え方、発声や滑舌等、生徒さんの希望に添ったマンツーマンの指導が好評を得ている。Voicestylist®として、お客様がより楽しく、豊かな毎日をスタイリングするためのお手伝いをすると同時に、地元滋賀県を中心に、ナレーション業務やMC 等、幅広く活動中。

STAFF
装丁・デザイン　野口佳大
イラスト　小瀧桂加
校正　永森加寿子
編集協力　宮和正
DTP協力　千葉基子
編集　田谷裕章　坂本京子

「人前で話す」怖さを消す方法

話し方が変わる45のプチレッスン

初版1刷発行　2023年2月22日

著　者　坂野 典子
発行者　小田 実紀
発行所　株式会社Clover出版
〒101-0051
東京都千代田区
神田神保町3丁目27番地8
三輪ビル5階
電話　03(6910)0605
FAX　03(6910)0606
https://cloverpub.jp
印刷所　日経印刷株式会社

ISBN978-4-86734-125-4　C0034